NICU
ナースのための
必修知識

第5版

著
河井昌彦
京都大学大学院医学研究科新生児学講座特定教授

改訂に際して(第5版)

　「先の見えない少子化」「COVID-19の流行→5類への移行」「周産期施設の集約化」「働き方改革」「新生児科医の不足」といった難題が次々と押し寄せる昨今,NICUにおけるナースの重要性は高まる一方です.

　ナースがNICUに入院してくる児の「特殊性」「病態生理」を知ることは,より適切な「ケア」につながります.この「ケア」は「児に対するケア」に留まりません.「児の家族のケア」,場合によっては「NICUで働く仲間の共感を呼ぶケア」につながるのです.
　そんな気持ちをより強く持って今回の改訂を行いました.

　本書は,いわゆる「教科書」ではありません.NICUでの治療を要するこどもたちの特性を解説した「取扱い説明書【トリセツ】」に近いものです.是非,必要な部分から読んでみてください.きっと「ああ,そうだったんだ!」という答えが見つかると思います.
　そして,時間ができたら最初から通して読み返してみてください.きっと新たな発見があると思います.

　是非,本書を活用して,一歩先の「ケア」を実践してください.
　NICUで治療を要する赤ちゃんのために……
　NICUに入院した赤ちゃんのご家族のために……
　そして,元気になって退院してゆく赤ちゃんを笑顔で見送る貴方のために……

2024年4月
京都大学大学院医学研究科　新生児学講座
河井昌彦

はじめに

　NICUの実力の8割いやそれ以上がナースによって決まるといっても過言ではありません．

　NICUにおける医療は高度に専門分化しており，かよわい赤ちゃんのケアをするには，児の病態を理解し，その問題点を的確に評価し，看護にあたることが重要です．そのためには，NICUにおいてたくさんの経験を積むことが重要なのは言うまでもありませんが，病気の赤ちゃんは"新人さん"が"一人前"になるまで待ってはくれません．

　多くの病院において，看護スタッフはNICUばかりで何年も勤務することは難しいのが現状で，毎年新しいスタッフが入ってくることとなります．新しいスタッフが一日も早くNICUに慣れ，「赤ちゃんを看護することの楽しさ」を知ってもらえるようにと，このテキストを企画しました．

　なお，私は新生児の病態と治療の理解に役立てたいと考え，これまでに「NICUベッドサイドの診断と治療」「NICU厳選！50症例の診断と治療」「NICUフローチャートでわかる診断と治療」「1週間で学ぶ新生児学」と4冊の書物を出版してきました．これはナースの方々にも十分お役に立つものと考えていますが，どちらかというと医師向きの記載が多かったことは否めません．そこで，それらの中から是非ナースに知って欲しい個所を抜粋し，日頃私が京都大学医学部附属病院NICUのナースに抗議している内容を織り込んだのが本書です．

　是非，ご一読ください．

　皆さんと一緒に勉強し，より良い医療が実践できるよう，力を合わせて行ければ……と願っています．

平成17年11月
京都大学医学部附属病院NICU医長
河井昌彦
E-mail: masahiko@kuhp.kyoto-u.ac.jp

目次

1 新生児の特殊性

1 呼吸・循環の変化 3
- 第一呼吸の出現と自発呼吸の確立 3
- 肺を中心とする循環動態の確立 4
- 肺でのガス交換 5

2 栄養・代謝の変化 6
3 環境の変化 7

2 蘇生とNICU入院中の児が急変したときの対応

1 仮死の蘇生 10
- 新生児仮死の病態 10
- アプガー・スコア 11
- 仮死の定義 12
- 蘇生の実際 13
- 気道を確保できるポジション 13
- バッグマスクのポイント 14
- バッグの種類 14
- 胸骨圧迫のポイント 16
- 新生児蘇生法 17

2 NICU入院中の児が急変したときの対応 20
3 誤嚥への対応の原則 21

3 入院を受ける

1 入院を受ける前の情報収集 24

- 閉鎖式保育器（クベース）・開放式保育器（インファント・ウォーマー）の選択 ……… 24
- 人工呼吸器・酸素の投与基準 ……… 25
- 点滴の種類の決定 ……… 26

2 入院前の準備 ……… 27
- 体重計 ……… 27
- 開放式保育器（インファント・ウォーマー）の準備 ……… 27
- 閉鎖式保育器（クベース）の準備 ……… 27
- モニター類の準備 ……… 28
- 入院時の処置に必要な物品の準備 ……… 28

3 新生児搬送の場合，搬送者に確認すべき事項 ……… 34

4 入院時の家族との関わり ……… 36
- 入院時の医師からの説明 ……… 36
- 入院時のナースからの説明 ……… 36

4 栄養を考える

1 新生児の栄養の原則 ……… 40
2 哺乳の生理学に関する基礎知識 ……… 41
3 経腸栄養の開始に関して留意すべき事柄 ……… 42
- 呼吸状態が安定しているか？ ……… 42
- 消化管の機能に異常がないか？ ……… 42
- 吸啜・嚥下・呼吸の調和がとれているか？ ……… 43
- 栄養を進める上で参考とすべき胸腹部X線の読影ポイント ……… 43

4 経腸栄養の実際 ……… 46
- 鼻注栄養の注意点 ……… 46
- 経口哺乳の開始時期 ……… 49
- 直接母乳 ……… 49
- 搾母乳 ……… 50
- 母乳育児について ……… 50

5 経静脈栄養の適応とその進め方 ……… 55
- 経静脈栄養の適応 ……… 55
- 経静脈栄養の進め方 ……… 56

- 経静脈栄養施行中の注意点（観察のポイント） 57
- 経皮穿刺による中心静脈ライン 61

5 輸液・投薬の管理をする

1. **各種病態における輸液量を考える** 64
   - 水分量を少なめに設定すべき病態 64
   - 水分量を多めに設定すべき病態 65
2. **電解質異常の際の輸液組成の考え方を学ぶ** 66
   - Na の異常 66
   - 高 Na 血症 66
   - 低 Na 血症 69
   - K の異常 74
3. **浮腫のある児の管理** 80
   - 浮腫をみた場合の診断のポイント 80
   - 治療のポイント 83
4. **薬剤投与（側注・側点滴）に関する豆知識** 84
   - NICU における点滴のルート内の気泡に気を配る理由 84
   - 薬剤を溶解する際に溶解液にも気を配る理由 85
   - 薬剤の投薬ルートに気を配る理由 85
   - フィルターの前・後に気を配るべき薬剤 86
5. **点滴挿入の介助** 87
   - 介助の基本 87
6. **内服薬の投与** 88
   - 内服薬を母乳・人工乳に溶かして投与すべきではない 88
   - 同時投与注意・併用注意となる薬剤の組み合わせに注意する 89

6 呼吸障害のある児を看護する

1. **呼吸管理の方法とその適応** 92
2. **人工呼吸器を理解する** 99

3 人工呼吸管理中のケアの実際 103
- 挿管チューブの固定 103
- 正しい気管内吸引とは？ 103
- 気管内吸引の必要性 104

4 呼吸管理中に患児の状態が急変したら 105
- 人工換気療法時の主な合併症 105
- トラブル発生と考えるべき所見 105
- トラブルを疑ったときの対処の手順（チェックポイント） 106
- 気管挿管チューブのトラブルではないと判断した場合 109

5 人工呼吸器からの離脱の際に注意すること 112
- 抜管に向けての準備 112
- 抜管 113
- 抜管後の対処 113

6 無呼吸発作への対応 114
- 無呼吸発作を疑う根拠 114
- 無呼吸発作に対する対応の原則 114
- 成熟児の無呼吸発作 115
- 早産児の抜管について（32週未満あるいは1,000g未満の児の呼吸器離脱） 117

7 血液ガス分析 120
- 血液ガスの調節機構 120

7 循環器系に障害のある児を看護する

1 動脈管開存症 126
- 胎児循環から胎外循環への移行のメカニズム 126
- 動脈管の閉鎖 127
- 出生後，動脈管が閉鎖しないとどんな不都合があるか？ 127
- 動脈管開存症の治療 129

2 肺高血圧症 131
- 肺血管抵抗の低下 131
- 肺高血圧症を疑う2つのポイント 132

		● 肺高血圧症の治療	133
3	循環不全		135
		● 循環不全の症状	135
		● 循環不全の原因とそれに対する治療法の選択	135
		● グルココルチコイド（副腎皮質ホルモン）の昇圧作用	137
4	先天性心疾患		138
		● 先天性心疾患の群分類とそれぞれの病態	138
		● CHDの外科的治療戦略	140
5	早産児晩期循環不全症		143
		● 症状	143
		● 診断基準	143
		● 原因	144
		● 治療	144
		● 予後	145
6	循環器系のモニタリング		146

8 消化器系に障害のある児を看護する

1	嘔吐		150
		● 鑑別のポイント	150
		● 一般的な看護	150
2	便秘・胎便排泄遅延		152
		● 病態	152
		● 一般的な看護	153
3	嘔吐・哺乳不良を認める児の診断		155
4	消化器疾患を疑った場合の診断・治療の流れ		157

9 仮死出生の児を看護する

		● 仮死の管理のポイント	160
		● 仮死の児の管理	164

10 黄疸のある児を看護する

- 新生児に黄疸が発生しやすい理由（生理的な場合と病的な場合）……………… 166
- ビリルビン脳症（核黄疸）のリスクとなる病的黄疸の特徴………………… 167
- 光線療法・交換輸血の適応基準…………………………………………… 167
- 新生児の黄疸に対する治療………………………………………………… 169

11 低血糖のリスクを有する児を看護する

1 胎児から新生児への過渡期に生じる内分泌学的問題点 …… 174
- 出生時の血糖調節機構……………………………………………………… 174
- 低血糖症のハイリスク児…………………………………………………… 175
- 低血糖の症状………………………………………………………………… 176
- 血糖のモニタリングおよび低血糖への介入のポイント………………… 176
- 低血糖の治療………………………………………………………………… 177

2 糖尿病母体児の管理 …………………………………………… 182
- 器官形成期である妊娠初期の血糖コントロールが悪い場合……………… 182
- 妊娠後期の血糖コントロールが悪い場合………………………………… 182
- 妊娠糖尿病の定義…………………………………………………………… 183

12 SGA児を看護する

1 SGA児の有する合併症 ………………………………………… 186
2 SGA性低身長症 ………………………………………………… 187
- 定義…………………………………………………………………………… 187
3 DOHaD …………………………………………………………… 189
- 定義…………………………………………………………………………… 189
- 子宮内発育不全児がメタボリックシンドロームになる機序……………… 189
- 子宮内発育不全を伴わない低出生体重児（AGAの早産児）の
  メタボリックシンドロームのリスクは？ ………………………………… 189
- メタボリックシンドロームを防ぐには…………………………………… 190

13 極低出生体重児を看護する

1 出生時〜搬送のポイント ... 194
2 入院時のポイント ... 195
3 呼吸管理のポイント ... 196
- 呼吸窮迫症候群（RDS：respiratory distress syndrome） ... 196
- 慢性肺疾患（CLD：chronic lung disease） ... 198
- silent aspiration ... 199
- ED チューブ挿入のポイント ... 200
4 循環管理のポイント ... 202
5 栄養管理のポイント ... 203
- 低出生体重児用粉ミルクと母乳強化剤 ... 203
- プロバイオティクス ... 204
- MCT オイル ... 204
- 極低出生体重児の GE（グリセリン浣腸） ... 205
- ガストログラフィンの注腸造影 ... 205
- 早期授乳（minimal enteral nutrition） ... 207
6 電解質管理のポイント ... 208
- 高 K 血症 ... 208
- 高 Na 血症 ... 208
- 低 Na 血症 ... 209
7 脳室内出血・脳室周囲白質軟化症などの予防のポイント ... 210
8 未熟児網膜症 ... 212
- 危険因子 ... 212
- 眼底検査と治療 ... 212
9 極（超）低出生体重児にしばしば見られる合併症 ... 214
10 ディベロップメンタル・ケア ... 215

14 予後不良な重度の形態異常あるいは染色体異常を有する児を看護する

- 重篤な疾患を持つ新生児の家族と医療スタッフの話し合いのガイドライン‥218
- 最も戒めねばならないのは ………………………………………………… 218
- 看取りの看護について ……………………………………………………… 219

15 NICUにおける感染予防対策

- 手洗い ………………………………………………………………………… 222
- 手袋の使用 …………………………………………………………………… 222
- その他の処置 ………………………………………………………………… 223
- TORCH症候群 ……………………………………………………………… 224

略語一覧 …………………………………………………………………………… 227
索引 ………………………………………………………………………………… 228

COLUMN

- 新生児死亡率の世界比較 ... 2
- 胎児仮死 vs. NRFS ... 4
- 先天性心疾患の多くが胎児期に症状を呈さない理由 ... 5
- 胎児は胎盤という巨大な透析器に守られている！ ... 6
- 子宮内は無菌か？ ... 7
- 仮死の定義 ... 12
- 産科医療補償制度 ... 12
- 動脈ライン確保のメリット・デメリット ... 26
- 母乳と母体の健康 ... 52
- 母乳育児と虐待予防 ... 53
- リン・カルシウムと尿中リン排泄・尿細管リン再吸収率との関係 ... 59
- Refeeding syndrome の機序 ... 60
- 低出生体重児とメタボリックシンドローム ... 61
- 医療行為と合併症 ... 62
- 心不全の際の循環血液量 ... 73
- NICUに入院している新生児の痛みのケアのガイドライン2020年（改訂）・実用版 ... 87
- PVC フリーについて ... 90
- INSURE アプローチ ... 97
- SiPAP（二相性CPAP） ... 97
- ハイフローネーザルカニューラ（high flow nasal cannula） ... 98
- NIV-NAVA（non-invasive NAVA） ... 98
- Edi（横隔膜活動電位） ... 102
- 未熟児無呼吸発作の薬物療法 ... 118
- 親の心と医療従事者の受け止め方のずれ ... 119
- 早産児晩期循環不全症に対するステロイド療法 ... 145
- 父親への育児指導 ... 148
- 腹壁破裂・臍帯ヘルニア 術後には，甲状腺機能低下症にも要注意！ ... 157
- 低体温療法の実際 ... 162
- aEEG（amplified electroencephalogram）とは？ ... 163
- 一酸化ヘモグロビン（COHb）と溶血性黄疸の関係 ... 171
- 出生後早期の低血糖症のほとんどは高インスリン血症による！？ ... 177
- Adiposity rebound ... 191
- 超早産児に対するプレネイタル・ビジット ... 216

第 1 章

新生児の特殊性

ここがポイント！

　新生児期はたった28日間という短い期間で，80年の人生のうちのホンの0.1％の期間に過ぎません．しかし，この28日間は激動の期間で，人生で最も危険な時期と言っても過言ではありません．それは，お母さんのおなかの中で羊水にぷかぷか浮かんでいた胎児が，突然，お母さんのおなかから放り出され，その生活の変化に適応してゆかねばならない過渡期だからです．

　子宮内で生きていくために必要な機能のいくつかは子宮外で生きていくには適さないのですが，神様は人間をうまく造ってくださったもので，大多数の赤ちゃんはこの変化を難なく乗り越えてゆくことができます．しかし，子宮外の生活に適応する前に出生してしまう早産児や，何らかの疾患を有している一部の赤ちゃんはその変化に十分適応できず，医療のサポートを必要とすることとなってしまうのです．

　このため，新生児期の疾患を理解するには，子宮内と子宮外での生活の差を理解することが重要です．

子宮の中での生活	子宮の外での生活
1）臍帯・胎盤を介して，酸素の供給を受けており，肺は未だ働いていません． 2）臍帯・胎盤を介して，母体から栄養が供給され，老廃物を廃棄してもらっています． 3）一定の温度（37度くらい）に保たれた，静かな，無菌空間で外敵もありません．	1）自分で呼吸し，肺で酸素と二酸化炭素を交換しなければなりません． 2）消化管から栄養を摂取し，自分で処理して，尿や便として排泄しなければなりません． 3）子宮内に比べて，寒くて刺激が多く，雑菌の住む空間で，外敵に囲まれています．

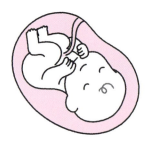 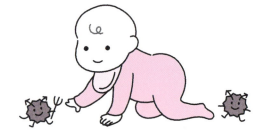

COLUMN **新生児死亡率の世界比較**

　日本の新生児死亡率は1,000人出産あたり0.8人（0.08％）です．1,000人生まれて0.8人が亡くなる……こう言われてもピンとこないかもしれませんが，これはフィンランドなどと共に，世界で最も少ない数値です．一方，世界の他の国々に目を向けると，アメリカ0.3％，中国0.3％，フィリピン1.3％，ブータン 1.5％，インド 2.0％，ソマリア 3.7％（以上，WHO 世界保健統計2022年版より）となっています．この数値の意味するところは，現在，日本では優れた周産期システムがあるおかげで，このような低い新生児死亡率を維持できているのですが，そのような医療を施すことができなければ，生まれてくる赤ちゃんのうち20人に1人は亡くなってしまう，という現実なのです．

第1章 新生児の特殊性

呼吸・循環の変化

　胎盤循環から肺循環への移行は最も大きな変化の一つです．この変化の過程が滞りなく行われるためには，生まれてきた赤ちゃんに「第一呼吸の出現と自発呼吸の確立」「肺を中心とする循環動態の確立」「肺でのガス交換」の3つの機能が備わっている必要があります．

　それぞれの機能について考えてみましょう．

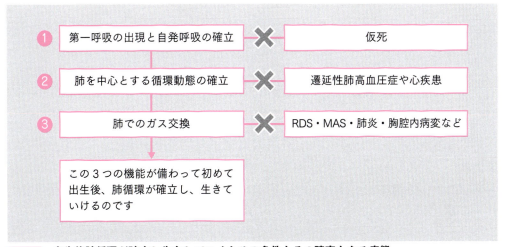

図1　出生後肺循環が確立し生存していくための条件とその障害となる病態

第一呼吸の出現と自発呼吸の確立

　胎児はもともと低酸素状態で暮らしていましたが，陣痛が発来し子宮が収縮すると，胎児/胎盤間のガス交換は途絶えがちとなり，正常分娩でも胎児血のpHは7.1〜7.2，PCO_2 70〜80mmHg，BE −6〜−8，SaO_2 20%となってしまいます．健常児であれば，出生後第一呼吸が起こり，ここから自力で回復することができますが，分娩が遷延した場合や何らかの原因でもともとアシドーシスであった場合には，ここから回復することができず仮死に陥ってしまうのです．

| COLUMN | 胎児仮死 vs. NRFS |

　「胎児仮死」という用語は使われなくなり，代わりに，non-reassuring fetal status（NRFS：胎児機能不全）という用語が使用されるようになりました．

　これは，胎児仮死にも関わらず急遂娩出せず，重度仮死で出生した場合に，「なぜ，胎児仮死なのに急遂娩出しなかったのか？」と問題になった事例や，胎児仮死の診断のもとに，帝王切開で出産し元気で生まれてきた場合に，「胎児仮死だと言われたから帝王切開に同意したのに，元気に生まれてきたのはどういうことだ！？」と問題になった事例があるからです．

　胎児の状態を母体の外から正確に把握するのは，容易いことではありません．明らかに「元気」と言える状態と，明らかに「状態が悪い」という状態の間には，「元気だとは言い切れない状態，すなわちnon-reassuring fetal status（胎児が明らかに健康であるということを保証できない状態）」が存在するのです．ということで，この表現はより正確に，胎児の状態を表す用語であり，医療の限界を示す用語でもあると言えるのです．

肺を中心とする循環動態の確立

　新生児期以降のヒトは酸素・二酸化炭素のガス交換を肺で行うこととなります．このため，心臓（右心室）を出た血液は一旦すべて肺へ行きガス交換を行った後，左心室から全身に分配されます．一方，胎児期には酸素の供給・二酸化炭素の排泄はすべて胎盤を介して行われていたため，心臓を出た血液の多くは肺へ行く必要はなく，肺へ行くのは心臓から出る血液の10％程度に過ぎませんでした．

　この胎児期と新生児期以降の血液の流れの差にとって最も重要なことは，胎児期は肺の血管抵抗が全身の血管抵抗より高く，これが出生後直ちに低下していくことです．この肺高血圧の低下が速やかに起こらない病態が遷延性肺高血圧症（persistent pulmonary hypertension of newborn：PPHN）と呼ばれるもので，重篤な病態です．

　胎児期には右心室を出た血液を肺ではなく，全身へ送る重要な役割を担っていた動脈管も，一部の先天性心疾患を除けば，出生後は厄介者になってしまいます．前述のような病的な肺高血圧症以外では，出生後，肺血圧は体血圧より低くなるため，動脈管を流れる血液は胎児期の右左シャントとは逆向きになり，数日以内に閉鎖するのが普通です．これが新生児期を通して閉じない病態が動脈管開存症（patent ductus arteriosus：PDA）です．

PDAが新生児期に大きな問題となることは成熟児においては稀ですが，極低出生体重児など小さな児にとっては大きな問題となるため，これに関しては「7章 循環器系に障害のある児を看護する」の項で説明します．

　また，多くの先天性心疾患は胎児循環においては問題を生じず，新生児期以降の循環動態に適応できないため，出生後初めて症状を呈するようになります．ただし，新生児期以降の循環の大きな特徴である肺血管抵抗の低下は，新生児期～乳児期を通して進行します．このため心室中隔欠損症（VSD）などの左右短絡疾患では肺血管抵抗が比較的高い状態にある生後しばらくの期間は，肺へ行く血液量が少ないために症状が生じにくく，肺血管抵抗の低下すなわち肺血流の増加とともに心不全などの臨床症状が出現，悪化してゆくのです．

> **COLUMN　先天性心疾患の多くが胎児期に症状を呈さない理由**
>
> 　先天性心疾患は「肺血流増加型（心室/心房中隔欠損症や動脈管開存症など）」「肺血流減少型（肺動脈狭窄症，ファロー四徴症など）」「肺鬱血型（総肺静脈還流異常症）」「動脈管依存型（大動脈縮窄症，左心低形成など）」の4つに分類されます．すなわち，先天性心疾患の多くは肺血流あるいは動脈管に関連した形態異常によるものです．
>
> 　胎児期は肺血流が著しく制限されており，動脈管血流が維持されています．そのため，先天性心疾患による症状が出ず，出生後に肺血流が増える（必要が生じる），動脈管が閉鎖するといった子宮外生活への適応の際に大きな症状が出現することになるのです．

肺でのガス交換

　出生後初めて，肺でのガス交換が始まりますが，これがうまくいかず，呼吸障害に陥る病態は数多く存在します．早産児に特有の呼吸窮迫症候群（respiratory distress syndrome：RDS），仮死に伴う胎便吸引症候群（meconium aspiration syndrome：MAS），その他，肺炎・横隔膜ヘルニアなどの胸腔内病変などがその例です．呼吸管理は新生児を管理する上で最重要項目なので，これらの病態のいくつかについては後で詳しく解説します．

第1章 新生児の特殊性

2 栄養・代謝の変化

　胎児期には「栄養の供給」「(ビリルビンを含む)老廃物の排泄」の多くは胎盤を介して母体に依存していたため，消化機能・代謝／排泄機能に関する異常は，たとえ胎児に障害が存在しても問題とはなりませんでした．しかし，新生児期以降は自らの口でミルクを飲み，それを吸収・代謝・排泄する必要が生じます．このため，哺乳障害・消化器の異常・黄疸（高ビリルビン血症）・代謝障害・腎障害など胎児期には問題とならなかった障害が，出生後出現してくるのです．

　すなわち腎無形成の場合は羊水過少，上部消化管閉鎖の場合は羊水過多などが見られることがありますが，それ以外の場合，ほとんどの代謝異常症・腎疾患などは胎児期には症状は見られません．これは，胎児は胎盤という強力な「透析器」に守られているからです．しかし，これらの障害を有する赤ちゃんは出生とともに胎盤から切り離されると，途端に種々の症状を呈し始めるのです．

COLUMN　胎児は胎盤という巨大な透析器に守られている！

　重症Rh血液型不適合の児について考えてみましょう．
　胎児期貧血が進行することはありますが，胎児期に高ビリルビン血症になって障害が出るなんて話は聞いたことはないですよね？　これは，胎児の産生するビリルビンは胎盤を介して母体に移行し，母体が処理してくれているからです．
　一方，胎児の赤血球は母体から由来するものではないので（そんなことがあったら，血液型不適合の頻度は爆上がりです！），胎児赤血球が壊された証が胎児貧血なのです．そう考えると，臍帯血のHb値の重要性がわかりますよね．

3 環境の変化

第1章 新生児の特殊性

　胎児は静かで暗い，そして無菌状態にある子宮の中で生活してきましたが，出生と共にその生活は激変してしまいます．子宮の外は，騒々しく，寒く，そして細菌など外敵がうようよしている世界です．成熟児の多くはこの変化に適応できますが，早産児などではその適応がうまくいかず，問題が生じることも少なくありません．その上，成熟児においても新生児期は免疫能が未熟で，成人には病原性を持たない弱毒菌が重症感染を引き起こすことがあり，注意が必要なのです．

COLUMN　子宮内は無菌か？

　本文に「子宮内は無菌」と書きましたが，近年はその概念が大きく崩されつつあります．というのも，母体の腸内細菌叢が胎児の腸内細菌叢に影響し，その影響は体質・発達にも大きくかかわっているといった考えが出てきているのです．個人的には，何でもかんでも「腸内細菌叢」と結びつける風潮に違和感がありますが，興味深いとも思っています．

文献

Diaz Heijtz R. Fetal, neonatal, and infant microbiome: Perturbations and subsequent effects on brain development and behavior. Semin Fetal Neonatal Med 2016; 21: 410–417.

第 2 章

蘇生とNICU入院中の児が急変したときの対応

ここがポイント！

　NICUで働くナースが出生の瞬間に立ち会うことは少なく，仮死の蘇生を実際に行うことはあまりないかもしれません．本章では，NICUで働くナースがしばしば遭遇するNICU入院中の児の急変についてお話しますが，その処置の基本は「蘇生」に通じるものですので，まず「仮死の蘇生」から話を始めることとします．

仮死の蘇生

第2章 蘇生とNICU入院中の児が急変したときの対応

新生児仮死の病態

　胎児は子宮内で胎盤を介して母体から酸素をもらっているため，もともと低酸素状態にあります．加えて，陣痛が始まると陣痛（＝子宮の収縮）に伴って，子宮内圧が高まると胎児/胎盤間のガス交換が途絶えがちになり，このため，正常分娩でも胎児血はpH 7.1〜7.2，PCO_2 70〜80mmHg，BE −6〜−8，SaO_2 20％程度に達してしまいます．健常児は，ここから自力で回復できるのですが，遷延分娩・過強陣痛・胎児仮死のため分娩前からアシドーシスに陥っていた児の場合，自力では回復できず新生児仮死に陥ってしまうのです．

1度仮死：胎児/胎盤間のガス交換が途絶えて2〜3分すると，自発呼吸が始まりますが，その後も低酸素状態が続くと呼吸は停止します．これを**1次性無呼吸**と呼び，この状態で出生した児は，チアノーゼは著明ですが，心拍数・血圧はほぼ保たれており，1度仮死と称されます．1度仮死の場合，刺激や吸引で容易に自発呼吸が確立できます．

2度仮死：1次性無呼吸が数分続いた後，児はあえぎ呼吸を始めますが，あえぎ呼吸は十分な換気とはならず，心拍数・血圧は急速に低下してゆき，数分後には呼吸は再び停止します．これを**2次性無呼吸**と呼び，この状態で出生した児は，血圧も低く，心拍数も落ちていることからショック状態に陥っています．全身色はチアノーゼというよりは蒼白で，2度仮死と称されます．2度仮死では，単なる刺激や酸素投与のみでは呼吸は確立せず積極的な蘇生（気管挿管・胸骨圧迫・薬物療法など）が必要となるのです．

アプガー・スコア

アプガー・スコア（Apgar Score）とは元来Apgar先生の名に由来するものですが，ほとんどの方が頭文字と思っておられると思うので，ここでもそれで説明します．

すなわち，**A**ppearance（皮膚の色），**P**ulse（心拍数），**G**rimace（刺激に対する反応性），**A**ctivity（筋緊張），**R**espiration（呼吸）の5項目（各2点，10点満点）で，出生後間もない児の全身状態を評価するものです．点数の評価は教科書によって若干相違があり，0〜2点を重症仮死，3〜6点を軽症仮死，7〜10点を正常としているものもあれば，0〜4点を重症仮死，5〜7点を軽症仮死，8〜10点を正常としているものもあります．1分値は子宮内での児の状態を反映し，5分値は児の神経学的予後に相関するといわれています．

なお，蘇生の判断はアプガー・スコアの点数で決めるものではありませんが，1つの目安として，アプガー・スコアが7点以上であれば，酸素が少し必要なことがある程度で，通常はそれも不要です．4〜6点の場合は足底刺激・酸素・バギングで反応することが多く，3点以下の場合は気管挿管下での酸素投与が必要となり，この場合，心拍が戻らなければ，胸骨圧迫・薬物療法も必要となります．

徴候	スコア		
	0	1	2
心拍数	なし	徐脈（100/分未満）	100/分以上
呼吸	なし	ゆっくり，不規則	良好，啼泣あり
筋緊張	弛緩	やや屈曲	活発な運動
刺激に対する反応（鼻腔吸引，皮膚刺激）	反応なし	しかめ面	咳，くしゃみ，啼泣
皮膚色	全身青色または蒼白	体幹ピンク色，四肢青色	全身ピンク色

仮死の定義

> **COLUMN　仮死の定義**
>
> 　新生児仮死とは，低酸素血症，ガス交換の欠如，主要臓器への灌流障害，以上3つの要素から成り立つ病態です．この考えに基づき，以下のように「定義」されています．
> ①臍帯動脈血のpHが7.0未満の重篤な代謝性または混合性アシドーシスを認める．
> ②アプガー・スコアが0～3点の状態が5分以上持続している．
> ③痙攣・筋緊張低下・昏睡・低酸素性虚血性脳症などの神経症状がある．
> ④多臓器にわたる機能不全を示す所見がある．
>
> 　仮死の診断の有無は，後述する「産科医療補償制度」の適応が受けられるか否かを決定する最重要事項です．このため，分娩室において，臍帯動脈血のガス分析・5分以上のアプガー・スコアの記録を絶対に忘れないことも重要です．

> **COLUMN　産科医療補償制度**
>
> 　脳性麻痺児とその家族を支援するため，2009年から始まった制度です．ごく簡単に説明すると，出生時の仮死が原因となって，脳性麻痺となってしまった場合に補償する制度です．このため，先天的な形態異常・早産出生などが原因による場合は，原則，適応外とされています．
> 　5歳の誕生日が補償申請の期限なので，それまでに対象者に周知することが大切です．
> 　補償対象となる出生体重・在胎週数の基準は，以下のように年々拡大されています．
> ＃2009年の開始時：出生体重2,000g以上かつ在胎33週以降を対象とするが，在胎28週以上は臍帯血pHなどを考慮の上で個別審査する
> ＃2015年の改訂時：出生体重1,400g以上かつ在胎32週以降を対象とするが，在胎28週以上は個別審査する
> ＃2022年の改訂時：在胎28週以降のすべての児

蘇生の実際

蘇生の基本はいわゆる蘇生のA・B・Cです．Aは気道（airway）の確保，Bは呼吸（breathing）の確立，Cは循環（circulation）の確立です．

とりわけ，仮死の蘇生においては，気道の確保・呼吸の確立は重要です．まず，口腔・鼻腔を吸引して，気道をしっかり確保できるポジションをとり，次に（必要に応じて）バッグマスクあるいは気管挿管を行い，酸素投与を行わなければなりません．新生児仮死の徐脈の多くは，換気不全あるいは低酸素血症が原因なので，適切な換気が最も大切なのです．

適切な酸素投与のみで改善しない徐脈に対しては，胸骨圧迫・強心剤の投与が必要になります．胸骨圧迫は換気効率を悪化させるので，気管挿管下で行うのが効果的です．

気道を確保できるポジション

仰臥位では頸部を若干伸展させた体位が望ましく，肩下に2〜3cm程度の肩枕を入れると良いです．過伸展位も屈曲位も気道を妨げるので，注意が必要です．

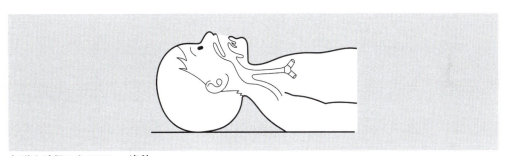

気道を確保できる正しい姿勢

バッグマスクのポイント

適切なサイズのマスクを用意することです．適切なサイズとは，口と鼻を確実に覆うが，目にはかからない大きさのことです．

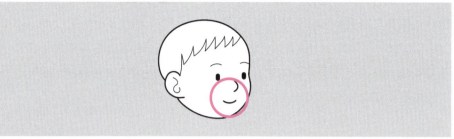

正しいマスクの大きさとは
マスクは口と鼻を確実に覆うが目にはかからないサイズを用意する．

バッグの種類

NICU でよく用いるバッグには大きく分けて2種類あり，そのそれぞれの特徴をよく理解して，選択する必要があります．

(1) Ambu bag（アンビュー・バッグ）＝自己膨張式バッグ

長所：① 自己膨張式バッグであり，酸素がない状態でも使用でき，初心者でも容易に扱えます．
　　　②リザーバーを装着せず酸素のみを供給する場合，比較的低濃度の酸素で使用できます．
短所：①換気圧の調節が困難です．
　　　②リザーバーを装着しない限り，高濃度の酸素を投与することはできません．

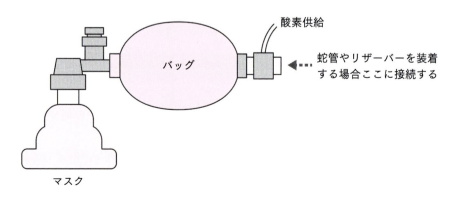

【注】Ambu bag の蛇管・リザーバーについて

　蛇管やリザーバーのない状態では，Ambu bag から送り出される酸素濃度は50％を超えません．リザーバーを装着し外気が入らないようにしない限り100％にはなりませんが，蛇管またはリザーバーを装着することで，酸素濃度を上げることができます．蛇管の長さと酸素濃度の関係は以下のようになります．

マスクから出る空気の酸素濃度（1分間に60回換気する場合）

酸素流量	蛇管なし	75cmの蛇管を装着した場合
2 L/分	30 %	35 %
4 L/分	40 %	50 %
8 L/分	50 %	70 %

（2）Jackson Rees bag（ジャクソンリース・バッグ）＝流量調節式バッグ

長所：① バッグの感触とバルブの調節により換気圧の調節が可能です．特にPEEPをかけられることが重要です．
　　　② 高濃度の酸素で使用できます．
短所：① 非自己膨張式バッグであり，酸素がない状態では使用できず，バルブの調整などに慣れないとうまく扱えません．
　　　② 酸素ブレンダーを使用しない場合は，常に高濃度酸素が投与されることとなります．

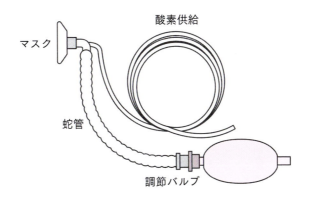

以上の両者の長所・短所を総合すると，分娩室・手術室など仮死蘇生の緊急場面ではAmbu bagが使用しやすく，サーファクタント注入・ステロイド吸入・体重測定の際のバギングなどは微妙な圧の調節ができるJackson Rees bagがより適している，ということになります．

　NCPRでは「出生時の蘇生の際には，パルスオキシメーターを装着し，その値を見ながら，酸素ブレンダーで適切な濃度の酸素を投与することが望ましい」ということが，推奨されています．

　このため，今後，分娩室・手術室で酸素ブレンダーを使用することがルーチンとして求められているのです．ナースの皆さん，Jackson Rees bagにもしっかりと慣れておかなくてはいけません！

胸骨圧迫のポイント

　「正しい位置」を，「適度な強さ」で，かつ，「適切なリズム」で圧迫することです．
正しい位置：胸骨の下部1/3．
適切な強さ：胸郭の前後径が1/3程度沈み込むように圧迫する強さ．
適切なリズム：胸骨圧迫と人工換気を3：1で1分間にそれぞれ90回と30回行うこと．二人で行うときには「1・2・3・バッグ」と声を掛け合いながら2秒に1回ずつ繰り返すとリズムがとりやすくなります．

新生児の胸骨圧迫

なお，有効な胸骨圧迫を行えば，末梢動脈拍動はしっかりと触知できるものです．少なくとも，大腿動脈・頚動脈で拍動が触知できない場合は，手技に問題があると考えなければなりません．

新生児蘇生法

まず視診により呼吸状態と筋緊張を評価します．元気な正期産児にはルーチンケア以外，行う必要はありません．不必要な吸引は，迷走神経を刺激して，徐脈や無呼吸を引き起こします．早産児・呼吸や啼泣の弱い児あるいは筋緊張の低下した児に対しては，「保温・体位保持・気道開通・皮膚乾燥と刺激」を行います．

呼吸，心拍数の評価を行い，自発呼吸がない，あるいは心拍数が100/分未満であれば，直ちに，バッグマスクで陽圧換気を開始します．出生から60秒以内に，陽圧換気を開始することが重要です．胸郭の広がりを見ながら，換気回数は40〜60回/分とします．肺を広げるための最初の数回の換気は，少し高めの吸気圧と長めの吸気時間が必要です．30秒間換気したら，自発呼吸の有無と心拍数をチェックします．心拍数が60/分未満なら，胸骨圧迫を開始し，気管挿管を考慮します．

胸骨圧迫は換気の効果を弱めるので，換気が確立するまでは行いません．圧迫は胸骨の下1/3の部位で行います．比較的大きな児の場合は，両手で児の胸郭を包み込むように保持して，両母指を胸骨の上に重ねるか，並べて置きます．小さな児の場合は，両手の人差し指と中指を合わせて置きます．胸骨を圧迫する指は，常に胸骨の上に置いたままにします．圧迫の深さは胸郭の前後径の約1/3とし，脈拍が触知可能な程度とします．圧迫時間を弛緩時間より少し短めにします．胸骨圧迫と人工換気の比は3：1で，1分間に90回の胸骨圧迫と30回の人工換気を行います．30秒ごとに心拍数をチェックし，60/分以上になるまで胸骨圧迫を継続します．

出生直後の児の徐脈は，通常は換気不全か低酸素症が原因なので，適切な換気こそが最も重要です．したがって薬物が適応となることは稀ですが，100%酸素による十分な換気と胸骨圧迫を行っても，心拍数が60/分未満のままである場合にはアドレナリン（ボスミン®）を静脈内あるいは気管内に投与します．

蘇生を中止する明確な基準はありませんが，心肺停止後15分で循環が回復しない場合は，1つの目安となります．

本書で紹介している蘇生方法はAmerican Academy of Pediatrics（AAP）とAmerican Heart Association（AHA）が作成しているNeonatal Resuscitation Pro-

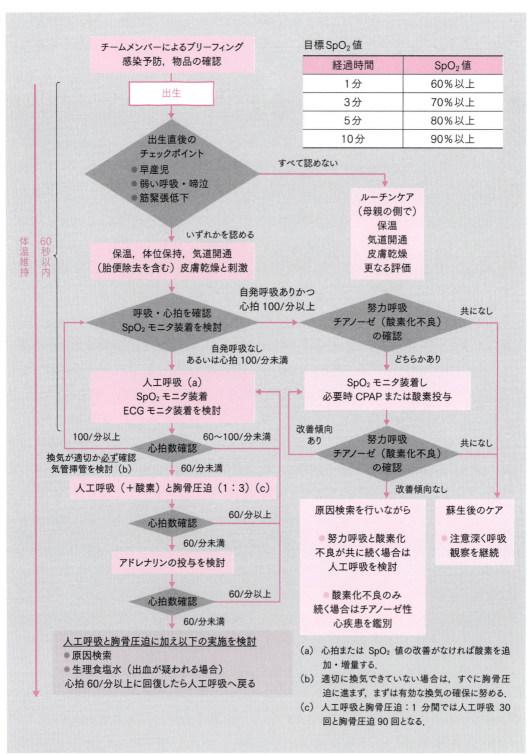

2020年版NCPRアルゴリズム
(一般社団法人日本蘇生協議会. JRC蘇生ガイドライン2020, p234, 図1, 医学書院, 2021より許可を得て掲載)

gram（NRP）に沿ったものです．北米では，AAPが新生児心肺蘇生法講習会を実施しており，200万人以上のProvider（試験合格者）が，第一線で新生児の蘇生に当たっています．

Consensus 2020年度版の主な変更点

1) COVID-19下における医療者の感染防御意識を高めるため，2020年度版では，蘇生開始前の蘇生メンバーによるブリーフィング・感染予防・物品の確認が明記された．

2) 2015年度版までは，自発呼吸があり，かつ心拍100/分以上の際に，努力呼吸・チアノーゼがともにある場合のみ，CPAPまたは酸素投与といった処置を行うことになっていたが，2020年度版では，努力呼吸・チアノーゼのどちらか一方でもある場合には処置に進む流れに変わった．

3) 2015年度版までは，自発呼吸があり，かつ心拍100/分以上だが，努力呼吸・チアノーゼがともにあり，CPAPまたは酸素投与を行っても改善がない場合は，人工呼吸器開始以外に記載はなかった．しかし，2020年度版では，このような場合のうち，酸素化不良のみが続く場合は，積極的にチアノーゼ性心疾患を鑑別に上げるべきだと明記された．

4) 適切な換気・胸骨圧迫を行っても心拍が60回/分未満にとどまるときの薬物療法について，アドレナリン投与の重要性がより強調されることとなった．

第2章 蘇生とNICU入院中の児が急変したときの対応

NICU入院中の児が急変したときの対応

　ここではNICU入院中の児の急変の際の対応について説明しますが，最も頻度の高い「誤嚥」を例に詳述します．

　とっさの判断が要求されるため，ここにマニュアル化しました．徐脈あるいは心肺停止をきたすような病態は，成人の場合，心筋梗塞など心原性ショックも決して稀ではありません．しかし，新生児に限って考えるとそのようなケースは極めて稀で，そのほとんどが呼吸不全（換気不良）に基づくものです．そのため，NICU入院中，それまで安定していた児の酸素飽和度が急速に低下したり，徐脈に陥ったりする病態は，以下の4つに分けられます．

① 誤嚥した可能性が高い場合
② 無呼吸発作を起こす可能性が高い場合
③ 呼吸管理中の児の場合
④ 上記以外の場合

　いずれにおいても，初期対応の大原則は気道を確保し，換気を改善することですが，それぞれの病態で，チェックすべきポイントが異なります．

　この中で，誤嚥は，NICU入院中のすべての児において起こりうる病態であり，とりわけ他のリスクが少ない児においては，まず第1に考えなければならない病態です．②③に関しては，「6章　呼吸障害のある児を看護する」に詳述します．④に関しては，救急時の対応は本項とほとんど変わらないと考えていただいて良いでしょう．

誤嚥への対応の原則

第2章 蘇生とNICU入院中の児が急変したときの対応

　基本は蘇生のA, B, Cであることに変わりありませんが, 若干異なる点があるので, チャートに沿って解説します.

① すべての基本ですが, まずモニターの警報音が鳴ったときには, そのモニターが正しく作動しているか否かを一瞬で判断しなければなりません. このため, 酸素飽和度の低下・徐脈を知らせるアラームがなったときはまず「児の皮膚色に異常がないか？」「児に体動があるか？」「啼泣しているか？」を見ることが重要です. この際, 体動・啼泣が激しく, 皮膚色に異常がないようなら, モニターの装着が悪く, 正確なデータを拾っていないだけかもしれません. 一方, チアノーゼあるいは蒼白など一見して皮膚色が不良な場合は直ちにemergencyと考えて, 次の動作に入らなければなりません.

② 誤嚥の可能性が考えられる場合は, まず, 口腔・鼻腔・気管内のミルク（誤嚥した物質）を除去することが優先されます. すなわち, 即座にタッピング・吸引などの処置を行い, 気道の開通を図ります.

③ 以上の手技によって, 呼吸が再開しない場合, 気道狭窄音が著しくチアノーゼが改善しない場合は, 気管挿管下での気管内吸引が必須であり, 時機を逸さず医師を呼ぶとともに気管挿管の準備を行わねばなりません. 医師到着までの間は（気管内のミルクを押し込むことになるので, 本来バギングは気管内吸引後に行うべきですが, 医師の到着に数分以上かかる場合は）, バッグマスクによる補助換気を開始する必要があります.

④ 医師到着時, 呼吸・心拍が正常化しておらず, 誤嚥量が多いと判断される場合は, 気管挿管下に気管内吸引を行います. その後, 人工呼吸管理を行う必要があるか, 一時的なイベントとしてまもなく抜管可能か, 呼吸・循環の状態, 胸部X線所見などから判断します.

⑤ 気管挿管後も心拍が戻らない場合は, 胸骨圧迫, 強心剤投与など, 出生時の蘇生に準じた「循環のサポートを開始する」必要があります.

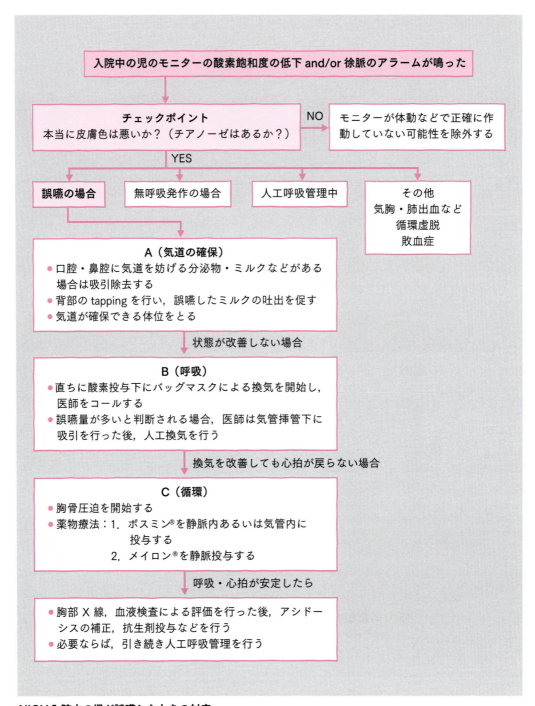

NICU入院中の児が誤嚥したときの対応

第 3 章

入院を受ける

ここがポイント！

　NICUに新しい赤ちゃんが入院してくる！　それは，もっとも緊迫した，ドキドキする瞬間です．
　そして，入院後いかに素早く状態を安定させることができるか？がその子の一生を左右することも稀ではなく，NICUで働くすべてのスタッフが一致団結しなければならない瞬間です．ここでは，その手順を示すとともに，1つ1つの意味を解説してゆくこととします．

第3章 入院を受ける

1 入院を受ける前の情報収集

　入院時の処置がスムーズに進むか否かは，入院前に児に関する情報が十分得られているかどうかに大きく依存しています．そこで，入院前に絶対に収集しておかなければならない情報を列挙します．

- 児の状態，とりわけ現在受けている医療
- 出生体重・現在の体重（あるいは推定体重）
- 児の在胎週数（母体搬送の場合は，母体の妊娠週数），入院時の生後日齢
- 母体の感染兆候・前期破水の有無など

　これらの情報から，入院後に行うべき，治療の多くが決定されます．すなわち，以下の判断がなされるのです．

- 閉鎖式保育器（クベース）・開放式保育器（インファント・ウォーマー）のどちらが適切か？
- 人工呼吸器・酸素の準備が必要か？
- 点滴は，動脈ライン・末梢静脈ライン・経皮穿刺による中心静脈ラインのどれが必要か？
- 感染のリスクの有無は，入院時血液培養やルンバールを行うか？に影響します．

閉鎖式保育器（クベース）・開放式保育器（インファント・ウォーマー）の選択

　閉鎖式保育器を使用する主な目的は，体温調節機能が未熟な児に適度な環境（温度・湿度）を与えること，酸素を効果的に与えること，感染のための隔離に加え，患児の観察を容易にすることです．一方，閉鎖式保育器では外科的処置を行いにく

い欠点があるため，ある程度の成熟度があれば，開放式保育器が選択されます．

施設によって異なりますが，在胎35週未満・体重2,000g未満などが閉鎖式保育器を使用する目安となります．

人工呼吸器・酸素の投与基準

酸素投与はしばしば行う治療方法ですが，適応を一歩誤ると，百害あって一利なしと言うこともあるので，その意義について知っておくことが重要です．

脳の低酸素状態が神経学的障害を招くこと，組織の低酸素状態が嫌気性代謝を引き起こし，代謝性アシドーシスを招くこと，低酸素血症・アシドーシスが遷延性肺高血圧症を招きうることなどが低酸素血症に対して酸素を投与する最大の理由です．また，酸素投与によって，努力呼吸を軽減し，無駄な酸素消費を抑制することで全身状態を安定する作用があるのも酸素投与の重要な効果と言えるでしょう．

しかし，覚えておいていただきたいことは，次の3項目です．
① 酸素投与は，呼吸障害による低酸素血症を改善させる作用はあるものの，高炭酸ガス血症を積極的に改善させる働きはなく，呼吸性アシドーシスをきたすような症例には気管挿管などによる人工呼吸管理が必要です．具体的には，$PaCO_2$が60mmHg以上になるような症例では気管挿管が必要です．また，現実的にはF_IO_2を50％以上に保ち続けることは困難であり，このような高濃度酸素の持続的な投与を要する場合も人工呼吸管理が必要です．
② 不規則な呼吸や，無呼吸発作を繰り返す症例では人工呼吸器による調節換気（補助換気）が欠かせません．とりわけ，在胎32週以下の早産児では，無呼吸発作を繰り返すことが神経学的後遺症に繋がるリスクが高く，早めの気管挿管が必要となります．
③ 酸素投与が有効なのはあくまで呼吸障害による低酸素血症であり，心疾患でチアノーゼ（低酸素血症）や努力呼吸が出現している症例では，酸素投与が〝逆効果〟になることもあるということです．例えば，全身への血流を動脈管に依存している先天性心疾患（大動脈縮窄症や大血管転位症など）の場合，酸素投与は動脈管の閉鎖を招き，死に直結する危険性があります．また，肺血流が増加する心疾患（心内膜欠損症や心室中隔欠損症など）では，酸素投与は肺血管抵抗を低下

させることによって更なる肺血流の増加を招き，心不全・呼吸不全を悪化させるのです（心疾患と酸素の話は少し難しいので，後で詳しく説明します）．

点滴の種類の決定

① **末梢静脈ライン**は入院時に最初に確保すべきラインです．通常，最も容易で確実な薬剤投与のルートであり，ほとんどの入院症例に必要となります．

② 高カロリー輸液など10％以上の高濃度の糖液の投与を要する児，Ca製剤など血管外漏出が重篤な組織障害を招く危険性のある薬剤の持続的あるいは反復的な投与を必要とする児，プロスタグランジン製剤などその点滴が漏れることが病態の急変に直結しうる点滴を必要とする児には，**中心静脈ライン**の確保が必要となります．以前は，臍カテーテルなども使用されましたが，感染・肝障害などの問題があり，また，近年，経皮穿刺による中心静脈ライン（PIカテーテル®など）の性能が向上したため，我々の施設では在胎24週未満の児を除くと臍カテーテルを確保する機会はほとんどなくなりました．

③ 呼吸状態が不安定な児では，血液ガスをモニタリングすることは重要ですが，**動脈ライン**を確保するか？ 侵襲的な処置を避け，できる限り，酸素飽和度モニター・経皮二酸化炭素濃度モニターを利用するか？は施設によって考え方に差があり，どちらにも長所・短所があります．我々の施設では，呼吸・循環動態の不安定な児は，一般に動脈ラインを確保し，観血的に血圧をモニタリングし，血液ガスを実測することを原則としています．

COLUMN 動脈ライン確保のメリット・デメリット

　動脈ライン確保のデメリットの一つに侵襲を伴う手技であること，そして動脈ラインの固定もストレスを惹起させる可能性があることが挙げられます．一方，近年，採血に伴うストレスも強調されており，ヒールカットによる足底採血は静脈穿刺に比し痛みが強いことはメタアナリシス（コクラン）でも証明されています．
　児へのストレス軽減という観点からは，動脈ラインを確保することが良いのか悪いのか難しい問題と言えるかもしれません．

入院前の準備

体重計

　入院時は，最初に体重を測定します．これは，体重が全ての薬剤投与量などの基準になることはもとより，生後日数が経っている児の場合は，体重の増減など入院までの経過・状態を考える上でも極めて重要だからです．児に負担をかけないよう，短時間で正確な測定を心がけてください．

開放式保育器（インファント・ウォーマー）の準備

　入院後はまず，体重測定をしたうえで，インファント・ウォーマーの上で処置を行います．インファント・ウォーマーの利点は，保温（体温調節）ができ，処置・観察がしやすいことですが，温まるまでに多少の時間がかかるので，しっかりプレウォームすることが大切です．入院前に必ず，実際に自分の手をかざしてみて，暖かくなっていることを確認してください！（時々，ライトのみ点灯していて，ヒーターが作動していない……なんてことがあります）

　なお，超早産児の場合，インファント・ウォーマーだけでは体温が維持できないこともあるため，このような児には，食品用ラップや火傷しないよう布を巻いたホット・パックを用意することも忘れないようにしてください．

閉鎖式保育器（クベース）の準備

　その適応は，先ほど記載しましたが（☞ p.24），クベース収容が必要な児の場合，処置が終わったらなるべく早くクベースに入れてあげる必要があります．クベースは温度・湿度を設定する必要があり，それらが，安定するまでには多少の時間がかかりますので，これも入院前に準備を開始する必要があります．

器内温度：通常，1,000g未満の児の場合で35～36℃，1,000～1,500gで34～35℃，1,500～2,500gで31～34℃，2,500g以上では31～33℃とします．

器内湿度：原則50～60％に設定しますが，極低出生体重児の入院時は90％以上の高加湿状態とすることもあります．なお，湿度が高いと不感蒸泄が減るメリットがある反面，真菌などの感染が生じやすくなるデメリットがあり，近年，湿度は早めに下げる傾向にあります．

なお，超早産児で，皮膚が脆弱であることが予想される場合は，皮膚保護物品（ボア・シーツ，トレックス・ガーゼ）の準備も必要です．

モニター類の準備

通常，機器によるモニタリングが可能なものは以下のものです．児をインファント・ウォーマーに横たえたら直ちに装着できるよう，準備しておくことが重要です．
① 心拍・呼吸モニター
② 経皮酸素飽和度モニター
③ 観血的／非観血的血圧モニター
④ 経皮二酸化炭素濃度モニター

①～②は入院時のモニタリング項目として必須であり，全例にその準備が必要です．

③の血圧モニターに関しては，呼吸・循環動態が不安定で，動脈ラインを確保するような症例で必要です．

④の経皮二酸化炭素濃度モニターは，早産児など$PaCO_2$の厳密な管理を要する症例において使用します．以前はプローブを高温にする必要があるため，頻回の貼りかえと熱傷のリスクが問題となりましたが，最近の機種は37℃台の低温で$PaCO_2$をモニターできるようになっており，随分使いやすくなりました．

入院時の処置に必要な物品の準備

入院時の処置に必要な物品を記します．これらはすべて入院後数分～十数分以内に必要な物品ですので，予め用意しておく必要があります．

（1）口腔/鼻腔および気管内吸引に必要な物品

　吸引を行うためには，吸引器・（児に適切なサイズの）吸引チューブ・蒸留水が必要です．なお，蒸留水は吸引が確実にできることの確認に有効なのはもちろん，胎便など粘稠な分泌物を吸引する際にも必須です．

　なお，新生児の呼吸・循環不全の多くは換気不全が原因で起こります．逆に言うと，換気を改善してやることによって，改善する病態が多く存在するのです．とりわけ入院時には，入院までの搬送の間に貯まった分泌物が気道を妨げていることがしばしばあるため，入院後最初に行うべき処置の1つが，〝吸引〟なのです．

（2）呼吸管理に必要な物品

　NICUでの処置の際には，必ずアンビューあるいはジャクソンリースのバッグ，（児に適切なサイズの）マスクがいつでも使用できる準備が必要です．これは，新生児期の状態の急変（悪化）の多くが換気不全によるものであり，その改善の多くはバッグマスクによって達成されるからです．

　バッグマスクは効率よく行えば，多くの症例で換気を改善することができますが，下記のような場合は気管挿管が必要となり，それには喉頭鏡・気管内チューブ・（スタイレット）・固定用テープなどの物品が必要となります．

- 薬剤投与や胸骨圧迫を要するような重度の循環不全を合併する場合
- 持続的な呼吸管理が必要な場合
- 気道内に胎便が存在する場合

　酸素投与の是非に関しては前述しましたが，明らかに心疾患と診断がつく前（呼吸不全の原因が判明するまで）の段階では，気道の確保の次に行う手段として，酸素投与は当然行われるべきものであり，その準備を怠ってはなりません．酸素配管・供給チューブ・酸素フローメーターなどが必要物品です．時に，高濃度の酸素は投与したいが気管挿管するほどでもないという症例に経鼻カニューラやハイフローネーザルカニューラを用いることもあります．

（3）バイタルサインの測定・計測に必要な物品

体温：体温計・肛門測定用カバー・潤滑油など
心拍・呼吸数など：聴診器・ストップウォッチ（あるいは時計）など
計測：メジャー，ノギスなど

（4）点滴の確保に必要な物品

　入院時に必要なラインがスムーズに確保でき，呼吸・循環の安定が速やかに得られるか否かは，児の予後にとって非常に重要な事柄です．このため，点滴内容を作成し，ルートを満たしておくことはもとより，ライン確保のために必要な物品（アルコール綿・乾綿・留置針・固定用テープ・シーネ・コッヘル・ハサミなど）の準備も欠かせません．なお，動脈ラインの確保の際には透照用ライトを用いることもあるので，その準備も必要です．それぞれの点滴の内容を以下に説明します．

　通常，新生児の場合，生後まもなくから日齢2程度であれば，ブドウ糖単独の輸液が**末梢静脈ライン**のメインの輸液となります．そして日齢2を過ぎ，Na利尿がついたらメインの輸液にNaを添加し，その後1～2日してK利尿がついて初めて，メインの輸液にKを添加することとなります．入院時のブドウ糖の濃度は施設によって差がありますが，我々の施設では，低血糖のリスクを下げるために10％ブドウ糖を採用しています．

　動脈ラインは，ヘパリンを添加した生理食塩水で確保します．

　中心静脈ラインは，10％ブドウ糖で確保することもありますが，最初からアミノ酸製剤・カルシウム製剤やビタミン剤を添加しておくこともあります．

京大病院での投与例

1）出生体重1,000gの児の場合の初回輸液内容（出生日〜）

PI①		
50%グルコース	20mL	流量2.5mL/時とするとWQ 60mL/kg/日
50%グルコース	20mL	GIR 3.7mg/kg/分
カルチコール	10mL	カルチコール5.3mL/kg/日
プレアミンP	50mL	アミノ酸1.8g/kg/日
マルタミン	0.4V	マルタミン1Vをプレアミン10mLで溶解し，4mL使用
注射用蒸留水	20mL	

PI②		
		流量0.3mL/時とするとWQ 7.2mL/kg/日
10%グルコース	20mL	GIR 0.5mg/kg/分

2）出生体重1,000gの児の場合の輸液内容（日齢3〜4頃から）

PI①紫		
		流量3mL/時とするとWQ 72mL/kg/日
ハイカリ3号	35mL	GIR 7.25mg/kg/分
カルチコール	5mL	カルチコール4.38mL/kg/日
プレアミンP	50mL	アミノ酸2.74g/kg/日
マルタミン	0.3V	
50%グルコース	4mL	
注射用蒸留水	6mL	

血清Ca，P値　尿中Ca，P値　%TRP値を見ながら，紫と緑を微調節

PI②緑		
		流量1.0mL/時とするとWQ 24mL/kg/日
10%グルコース	18mL	GIR 1.5mg/kg/分
リン酸Na補正液	2mL	P 2.4mL（=1.2mmol=36mg）/kg/日

（5）血液検査・培養採取などに必要な物品

　入院直後に，血液ガス・血糖・CBC・CRPや電解質など一般生化学検査の異常の有無をみることは，その後の治療方針（特に輸液計画）を立てる上で必須です．

　また，感染症を疑う場合にはその起炎菌を検索するために，各種培養が必要です．市中に蔓延するMRSAなどの耐性菌の保菌状況を把握する意味でも，入院時には培養が必要です．

（6）胃内留置チューブの挿入に必要な物品

　在胎週数36週未満または1,800g未満の早産・低出生体重児，あるいは，中枢神経系の異常や呼吸障害がある場合に経管栄養が必要となり，胃内チューブの留置が必要となります．また，それ以外の症例でも，入院時に胸・腹部X線を撮影するのであれば，必ず胃チューブを挿入してから撮影すべきです．胃チューブ挿入後にX線を撮るというごく簡単なことで，食道閉鎖症などの疾患の診断がつくのですから．

体重別　胃チューブのサイズの目安

体重（g）	チューブサイズ（Fr）
＜ 1,250	3
＜ 1,250〜2,000	4
＜ 2,000〜3,500	5

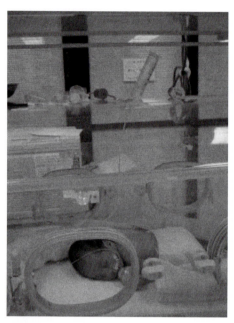

腹臥位でミルク注入中

（7）臍処置に必要な物品

　アルコール綿花・臍ガーゼ・結紮糸・クーパーなどを用いて，臍処置を行います．通常，当院では臍クリップで臍処置を行っていますが，NICUでは呼吸・消化機能を安定させる目的でしばしば腹臥位をとらせるため，腹臥位にする際には日齢2以降に，臍帯の乾燥・止血を確認した上で，腹部を圧迫しないよう臍を糸でくくる処置を施しています．

（8）点眼液

入院時ルーチンの1つである〝エコリシン点眼〟はクラミジア眼炎予防のために必須と考えられていましたが，販売停止となり，点眼そのものを中止した施設も多いようです．ちなみに，京大病院でも点眼は中止しました．

（9）お尻ふき・オムツなどの物品

これは，ことさら説明の必要もないでしょう……

3 新生児搬送の場合，搬送者に確認すべき事項

第3章 入院を受ける

　院内出生の場合は，母体情報・児の入院までの情報はいつでも産科に問い合わせることが可能ですが，他院からの新生児搬送の場合はそうはいきません．特に，搬送についてこられた医療スタッフが帰りの途中であれば，連絡も取れず，カルテに記載されている事柄に関しても問い合わせができないこともあります．

　このため，搬送者が帰るまでに紹介状に記載された内容を確認し，以下の情報が不足している場合は質問しておかなければならないこともあります．

① いつから，どのような症状で発症したか？
② ミルクは飲めていたのか？　もし，飲んでいた場合は，最終投与時間はいつか？
③ これまでに行われた主な検査・治療は？
④ 前医ではどのように病態を考え，両親に説明していたか？　それに対する両親の理解は？　治療に対する受け入れ具合は？　また，両親と前医との間にトラブルは存在したか？
⑤ ビタミンKの投与などのルーチン処置は済んでいるか？　また，日齢の経っている児の場合，新生児代謝異常症などのマススクリーニングは済んでいるか？
⑥ 母体の感染兆候など（特に，B型肝炎キャリアなどすぐに対処する必要がある場合，その対処がすでになされているか？），児の治療に関係するような事項がないか？
⑦ 母体の血液型は？

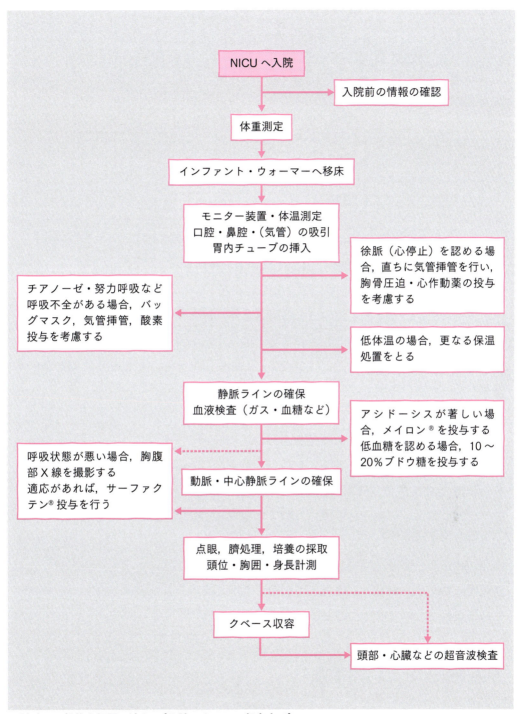

入院時の一般的な処置の流れ：(入院〜クベース収容まで)

4 入院時の家族との関わり

第3章 入院を受ける

入院時の医師からの説明

　患児の病態・治療方法・治療の見込み（予後）に関する説明を，できる限りわかりやすく行うことが重要です．

　ただし，説明を聞いている親の取り乱し方など，受け入れの状況を判断しながら，一度にどの程度まで話をするのかを判断しなければなりません．

　我々，新生児医療に関わるものの大原則は，患児が現在の医療水準からみて適切な医療を受ける権利を守ることによって，児の生命を守り，児をとりまく家族に幸福をもたらすことです．

　近年，インフォームドコンセントという言葉をしばしば耳にしますが，これは，「医師と患者（家族）との十分な情報を得た上での合意」を意味します．臨床現場ではいつも「親に治療方法を選択させる」ことが正しいという訳ではありません．正しい判断（治療方法の選択）は，正しい知識がなければ下すことはできません．我々，医療関係者が病態を整理し，児にとって最善と思う治療方法を選択し，その副作用などを説明した上で，それに対する同意を得る，というプロセスも重要です．

　もちろん，児にとって最善と思われる治療方法が1つではなく代替の治療方法が存在する場合や，複数の治療方法が存在する場合は，それぞれの長所・短所を説明し，選択してもらうことになります．

入院時のナースからの説明

　医師の入院時説明に同席したナースの仕事の1つは，家族が，児の入院をどう受け止めているか？　病態・治療を受け入れていけそうか？を判断することです．

　その上で，医師の説明の不足分を補い，家族の受け入れがスムーズに進むよう，サポートしていかなければなりません．

また，公費による医療費補助のシステムを説明することによって，家族の経済的な負担に対する不安を軽減してあげること，今後の面会方法・母乳などについて話すことによって家族の児への関わりを促すことも重要です．

第 4 章

栄養を考える

ここがポイント！

　栄養は新生児医療にとっては永遠のテーマです．いろいろな意見があり，時代とともに移り変わっていきますが……原則は本章に要約されると思います．後は，個々の患児の病状に応じた栄養管理を考えてあげることです．

第4章 栄養を考える

1 新生児の栄養の原則

- 母乳は最も優れた栄養源であり，その摂取を進めることが重要です．
- とりわけ，なるべく早期から母乳を投与すること（早期母乳）が重要です．
- 超早産児や，消化器疾患などのために経腸栄養の確立に時間のかかる児は，経静脈栄養を積極的に進め，ブドウ糖だけでなく，ビタミン・アミノ酸・脂質などをバランスよく投与することも重要です．
- 栄養（とりわけ経腸栄養）は，消化器のみならず呼吸・循環など全身状態に大きな影響を及ぼす重要事項であることを十分認識し，慎重に管理する必要があります．

2 哺乳の生理学に関する基礎知識

第4章 栄養を考える

　大多数の成熟児は，生まれたときから自然に口からおっぱいを飲んで，すくすくと育っていくのですが，それは「吸啜・嚥下・呼吸」の調和という大切な機能が備わっているからです．一方，NICUに入院を要するような児では，必ずしも，生まれた時点でこれらの機能が備わっているわけではありません．

　一般には，修正35週以降になると「吸啜・嚥下・呼吸」の調和がとれるようになるとされており，それ以前の早産児の場合，哺乳中には呼吸・心拍・酸素飽和度などを慎重にモニターする必要があります．なお，吸啜・嚥下に関しては修正32週頃から可能になるのですが，この時期は，未だ呼吸との調和が取れていないことが多く注意が必要です．ただし，これらの機能の成熟には個人差もありますので，実際の児の状態に応じたケアが大切です．

第4章 栄養を考える

3 経腸栄養の開始に関して留意すべき事柄

　かつて，生まれたばかりの赤ちゃんはいっぱい栄養を身に着けて生まれてくるから，しばらく絶食でも大丈夫……との考えから，すぐには授乳を開始しない時代がありました．しかし年々，出生後早い時期から授乳を開始する傾向にあります．もちろん，健常児に関してはそれに異論を挟む余地はありませんが，早産児・病的新生児においては経腸栄養の開始に当たり以下の点に対する配慮が必要です（ただし，極低出生児の経腸栄養開始については「早期授乳（p.207）」の項を参照のこと）．

呼吸状態が安定しているか？

　これには2つの理由があります．1つは「経腸栄養は呼吸運動にとっては負担になるケースがあるため」，もう1つは，「低酸素状態にある児の場合，**ダイビング反射**によって，腸管への血流は非常に少なくなっているので，ここにミルクが入ってくると壊死性腸炎など重篤な問題を引き起こす危険性があるため」です．

【注】ダイビング反射とは
　アザラシなどの哺乳動物が水にもぐる際，脳や心臓などの主要臓器の血流を最後まで保つように他の末梢臓器の血流を減少させる現象から名付けられた反射です．理にかなった反射ではありますが，ヒトでは腸管・腎臓などの腹部臓器の血流の減少がしばしば問題となります．

消化管の機能に異常がないか？

　胎児は腸管から栄養を吸収して育ってきたわけではありません．ですから，生まれてきた赤ちゃんに腸管から栄養を吸収する機能が備わっているか否かは，保証の限りではありません．経腸栄養を始めて数日して消化管閉鎖症に気付き，NICUへ

転院となるというようなことがしばしば経験されますが，NICUへの入院を要する児の場合は，当初から慎重に消化管の状態を観察する必要があります．

　具体的には，「嘔吐はないか？」「腸管の拡張（腹部膨満）がないか？」「腸の蠕動運動があるか？」などをチェックし，これらに問題がある場合は，慎重な対応が必要です．

吸啜・嚥下・呼吸の調和がとれているか？

　前述した通り，在胎35週未満の早産児の場合はこの3つの機能の調和がとれていないために，経口哺乳がうまくできない可能性があります．経口哺乳の開始時期に関しては，個々の児の成熟度を観察しながら，注意深く考える必要があります．

栄養を進める上で参考とすべき胸腹部X線の読影ポイント

(1) NICU入院時に胸腹部X線をとる場合は必ず胃チューブを挿入してから撮影する

　胃内に栄養チューブを挿入しようとしてもうまく挿入できず，X線で「コイルアップ像を認める」（図1）というのは食道閉鎖症の最も重要な所見です．食道閉鎖症でも羊水過多を欠く症例も散見されますので，X線で確認しておくことは重要です．

(2) 消化管ガスの分布をチェックする

　自発呼吸がある限り（あるいはバッグマスクを行った場合），出生後10分以上経過していれば，小腸上部までは腸管ガスが進んでいるはずです．よって，NICU入室時のX線で小腸上部までガスがいきわたっていなければ，十二指腸閉鎖の可能性を考えなければなりません（図2）．一方，著明に拡張したガス像を認め，その先のガス像を欠く場合には小腸閉鎖症などを念頭に入れて観察・精査する必要があります（図3）．

(3) 腹腔内が腸管ガス像で充満しているような像を見た場合は，個々のガスの大きさを見ることが重要である

＃大きな塊状のガス像がなく小さなガス像のみで，診察上もポッテリ大きなお腹ではあるものの，緊満感なく，腸管の蠕動音もまずまず良好……（図4）といった場合は，呑気による腸管ガスの増加といったケースも考えられるため，腹部ケ

ア（胃内ガスの吸引・浣腸など）を強化して，慎重に経過を見るといった選択も取りうるでしょう．

#局所に大きなガス像がある……大きなガス像が動かない（前日から同じ位置にあって動いていない）（図5，図6）……診察上も腹部に緊満感がある……腹壁の色調が悪い……腸管蠕動音が亢進ないし減弱している……便に血が混じる……こんな場合は緊急事態と考え，直ちに絶食とした上で，精査（超音波検査・CT検査など）を開始すべきでしょう．

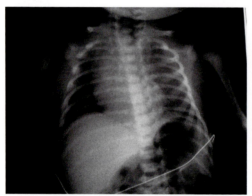

図1　胃チューブのコイルアップ像を認める．典型的な食道閉鎖症Gross C型である．

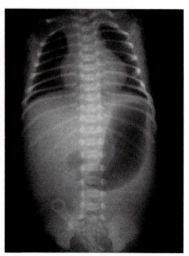

図2　ダブルバブル像を認める．十二指腸閉鎖症の像である．

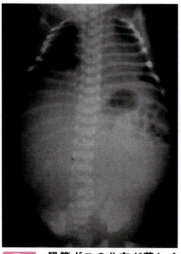

図3　腸管ガスの分布が著しく偏っている．これは胎便性腹膜炎に伴った小腸閉鎖の像である．

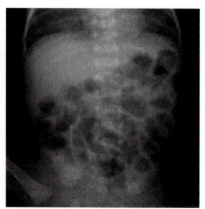

図4　小さなガス像が多数みられる．これは，胎便栓症候群の児に対する注腸造影が奏功した後の像である．

（4）腹腔内にフリーエアがないかチェックする．

　仰臥位で撮影した場合は，横隔膜直下・肝周囲にフリーエアを認めることが多いが，穿孔が小さく漏出ガスが少ない場合には判然としないこともある（図7）．このような場合は側面像のX線（図8）やCT撮影が有効です．フリーエアが見つかったら，多くの場合，直ちに開腹手術を要することになります．

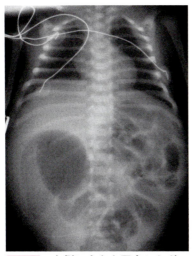

図5　右側に大きな固定したガス像を認める．これは胎便性腹膜炎の術後に生じた小腸閉鎖の像である．

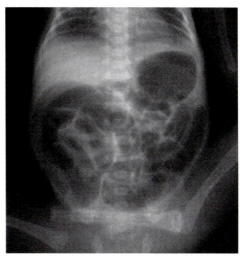

図6　大きなガス像が多数みられる．胎便栓症候群の像である．

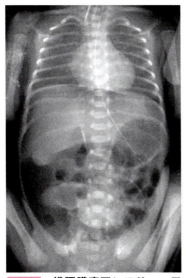

図7　横隔膜直下にフリーエアを認める．

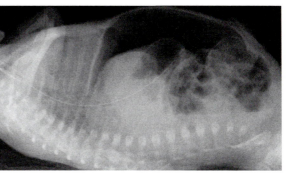

図8　側面でみるとフリーエアがより鮮明にみられる．

第4章 栄養を考える

経腸栄養の実際

鼻注栄養の注意点

(1) 胃チューブの挿入について

　経管栄養で最も重要なことの1つが胃チューブを正しく挿入することです．文章でその挿入方法を説明するのは困難ですが，
　「手首のスナップを利かせながら，食道の方向へ挿入すること」
　「突っかかった際には決して無理をせず，一旦引き戻して，再度挿入すること」
です．そして，挿入後は必ず聴診器で確認してください．これは，注射器から1～数ccの空気を注入し胃部に置いた聴診器で「ボコッ」という音を確認するものですが，決して確実な方法ではありません．

　新生児の場合，距離が近いので，口の中でとぐろを巻いていたり，気管に入ったりしていても，その反響音が聞こえることがあります．ですから，後述する「胃液のpHで確認する」「腹部X線で確認する」などの処置をとってください．決して「まあいいか」とは思わないでください．「まあいいか」の判断が大きな事故を招きます．

　経鼻チューブの長さの目安は「鼻尖から耳孔の距離に，鼻尖から剣状突起までの距離を加えたもの」ですが，挿入後，腹部X線で確認する習慣をつけてください．腹部X線での確認のポイントは「チューブの先端が噴門部を十分に超え，かつ胃の大彎に達してない」ことを確認することです．

胃液のpHによる確認

　栄養を進めるころには胃酸の分泌が高まるため，胃液のpHは低下しています（通常pH 3以下となります）．このため，ベッドサイドにpH試験紙を置いておき，ミルクを投与する前に，胃内チューブからの吸引物（＝正しく挿入されていれば胃液の

はず）のpHをチェックします．pH 3以下であれば，確実に胃内に挿入されていることが分かります．

＊胃内チューブを口から挿入するか？　鼻から挿入するか？

　これを論じるにあたっては，その長所・短所を知っておく必要があります．また，この両者の特徴を理解したうえで，どちらかを選択する必要があります．我々は，経鼻挿入を原則とし，nasal CPAP 装着時や経鼻挿入がもたらす呼吸障害が問題となる児にのみ経口挿入を行っています．

	長　所	短　所
経鼻チューブ	固定・安定した挿入が容易	鼻呼吸を主体とする新生児にとって気道を妨げる．とりわけ nasal CPAP 装着時は不可
経口チューブ	気道を妨げず，無呼吸の頻度を下げるといわれている	挿入が比較的困難である上に，固定がしにくく，自己抜去が多い

（2）胃残について

　胃洗浄を見たことがある人ならわかると思いますが……胃洗浄の際20mLの生食を胃内に注入して，直後に洗浄液を引き戻そうとしても，15mLくらいしか戻ってこないことはしばしば経験されます．そして，チューブ位置を深くしたり浅くしたり，胃の中で位置を変えることによって，さっきは戻ってこなかった液が戻ってくることもよくあります．何が言いたいかというと，皆さんが見ている胃残ってそんなものということです．

　つまりチューブの位置によって回収できる胃内容の量は大きく左右されるため，〝細かな絶対量には大きな意味はない〟ということです．

　ではなぜ，毎回見ていただくかというと，以下の2点のためです．

胃残が増加傾向にあるか？

　（胃チューブが正しい位置に挿入されているという前提での話ですが）チューブ位置が一定であれば，回収できる胃残の量もほぼ一定なはずです．そのため，この量が増えてゆくということは，胃からの流れが悪くなっている，あるいは十二指腸からの逆流が増えているということを意味します．

胃残の性状は？

　胃残の内容から以下のようなことを考えなければなりません．

　母乳・人工乳および，その消化物のみの場合は，現在の投与量が多すぎて消化できていないと考えられます．

　血液を含んでいる場合は，「母体血を飲んだ」「口腔・鼻腔の粘膜を損傷した」「消化管出血」「壊死性腸炎」「出血傾向」など，その時期・それまでの経過などによっていろいろな原因が考えられます．

　胆汁を含んでいる場合は，十二指腸からの消化液の逆流があることを意味しますので，いわゆる「イレウス」を考えなければなりません．つまり，「消化管閉鎖症などの外科疾患」「壊死性腸炎など重症な内科疾患」を考えねばならないのです．ただし，極低出生体重児などでは，消化管機能が未熟な間に，さほど全身状態が悪くない児でも少量の「胆汁性胃残」を認めることがあるので，その鑑別が重要です．

（3）差額注入について

　胃残を認める場合，差額注入をする目的は，胃内に投与する母乳・人工乳の量が規定の量を超えないようにすることによって，過度な消化管の負担が生じないようにする，ということです．これは，ダイビング反射の話をしたように状態の悪い児では腸管血流が乏しくなっていることがあるため，過度な消化管への負担は危険であるという観点から，非常に重要なことと思われます．

＊なお，差額時に，胃残をもう一度胃内に戻すか？　それとも破棄して新しい母乳・人工乳を注入するか？をよく聞かれますが，その考え方の基本は以下の通りです．
　①胃残の量が多い場合は，毎回捨てていると電解質異常（主としてClの喪失）が生じるため，母乳・人工乳主体の場合には破棄せず胃内に戻すことを原則とします．
　②凝血塊などの血液成分は嘔吐を誘発し，胃内容の正常な排出の妨げになるので，原則破棄します．
　③胆汁が混じる場合には，原則破棄します．胆汁が胃内へ逆流しているということは，胃・十二指腸・小腸という正常な消化管の流れがうまくいっていないことを意味し，放置すると嘔吐につながり，誤嚥などのリスクも生じるためです．もちろんこれが大量であれば，電解質異常を招くリスクがあり，その補正が必要となります．

　先ほども述べたように全身状態が悪くない極低出生体重児の経管栄養中にみられ

る少量の胆汁性胃残は，増加傾向がなければ経過観察でよいと思われます．

経口哺乳の開始時期

　前述したように安全に経口哺乳が行えるようになるのは修正35週相当の発達が得られてからですが，吸啜・嚥下の機能が備われば（修正32週相当には），口から母乳・人工乳が飲めないわけではありません．ですから，この時期を過ぎれば，児の状態を見ながら，経口哺乳の導入を考慮することとなります．

　具体的には，「授乳の時間になると啼泣が著しくなる」「経管栄養中しっかりした吸啜が見られる」「経管栄養中体動が激しく，チューブが抜けるのでは？との状況となる」などが見られたら，多少早くても，経口哺乳の開始を考慮してよいと思います．ただし，この場合は，吸啜・嚥下時に呼吸の協調ができていない可能性があるので，呼吸・心拍・酸素飽和度などに注意しながら授乳することが重要です．

　なお，ビン哺乳をさせると母乳栄養の確立を妨げるので，直母の時以外は（少なくとも36週までは）経管栄養でなければならないという意見もあります．

直接母乳

　直母（直接母乳）について考えるにあたり，直母とビン哺乳の違いをまず考える必要があります．ビン哺乳では，口をあまり大きく開けず，口唇を突き出すような形で，乳首を捉えますが，直母の場合はこの方法ではうまく母乳は出てきません．すなわち，口をより大きく開けて乳房に密着させ，大きく吸う必要があるのです．このように，ビン哺乳と直母は違ったテクニックを要するため，ビン哺乳が確立してから直母と言う考えは正しくありません．

　カンガルーケアの際に早期からおっぱいに触れさせるなどから開始し，経口哺乳を開始するころには直母を開始するのが良いかと思います．なお，未だ，嚥下がうまくできない時期のカンガルーケアの際は，カンガルーケアの前に搾乳しておいてもらい，あまり乳汁が出ない状態で，児におっぱいを含ませるのが安全でしょう．

　また，哺乳中頻回に心拍の低下をきたすような状態は，母親の不安感を煽ることにもなりかねませんので，このような児の場合は少し時期を待つ必要があるでしょう．

搾母乳

　直母の話が出たついでに，直母でない母乳すなわち搾母乳について少し考えてみましょう．

- **絞りたての母乳**：栄養的には，直母と変わらないと考えられます．このため，特殊な事情がない限り，凍結する前の新鮮な母乳から与えるようにすることが重要です．
- **冷蔵保存した母乳**：原則3日以内に使用すべきと考えられます．冷蔵保存することによってpHは低下し，トリグリセリド（triglyceride）が減少し，遊離脂肪酸・モノグリセリド（monoglyceride）・ジグリセリド（diglyceride）が増加してしまいます．また，ビタミンCも減少しますが，細胞成分を含む免疫能は保持されます．
- **冷凍保存（−20度）**：原則6ヵ月以内に使用すべきとされています．冷凍によってリンパ球が破壊されるため，ATL・CMVなど経母乳感染するウイルスの母子感染が予防できるメリットがあります．一方，細胞成分を除く免疫能に関しては保持されます．しかし，母乳中のリパーゼは冷凍中にも働くため，トリグリセリドの加水分解から遊離脂肪酸の増加をきたし，これが黄疸を増強させるといわれています．

　なお，−80度以下で保存すればより長期の保存は可能となりますが，未だ一般的ではありません．

母乳育児について

　母乳が人工乳より優れていることは，もう言い古されたことですが，現在種々のエビデンスの蓄積の上に立って，母乳育児を支援することは以前にも増して重要になってきました．そこで，母乳育児についてまとめてみます．

(1) アメリカ小児科学会（AAP）の母乳育児の勧告

- 母乳育児は先進国でも大きなメリットがあり，多数の急性，慢性疾患のリスクを

著しく減少させる．
- 母乳育児の期間に上限はない．2年以上の母乳育児が心理学的，発達学的に有害であるという証拠はない．

（2）WHO/UNICEF の母乳育児の勧告

- 生後6ヵ月間（母乳だけで育つ期間）は母乳だけで育てる．
- 2歳以上になっても適切な補完食とともに母乳を続ける．

上に母乳育児に関する海外の2つの勧告を載せましたが，共に，母乳育児を推進することを強く求めています．これは種々の疫学的調査から「完全母乳の方が栄養学的，免疫学的，発達学的に優れていること」「母乳育児の効果は量−反応関係を示し，母子共に認められる」ためです（2005年のAAPの勧告より）．

[母乳が児に及ぼす影響]
1) **発症頻度，重症度を減らす強い証拠がある疾患**
   感染症（細菌性髄膜炎，菌血症，下痢症，気道感染症，壊死性腸炎，中耳炎，尿路感染症，早産児の遅発性敗血症）
2) **発症頻度を減らすことが示される疾患**
   乳幼児突然死症候群，糖尿病，リンパ腫，白血病，ホジキン腫瘍，過体重・肥満，高コレステロール血症，喘息
3) **認知能力の発達，新生児の踵採血時の痛み緩和**

[母乳が母体に及ぼす影響]
1) **出産直後における利点**
   - 子宮収縮の促進（乳頭への吸啜刺激によりオキシトシンが分泌される）．
   - ホルモン変化（プロラクチンは乳汁の産生をオキシトシンは射乳反射を促進するが，両者とも）が母親の育児行動を促す．
   - 母と子の絆の形成を促進する．
2) **中期的な利点**
   体重を減少させる（授乳婦は余分に500kcalの熱量を必要とする）．
3) **長期的な利点**
   - 乳癌を減少させる（エストロゲンの分泌抑制による）．

- 卵巣癌，子宮体癌のリスクを減少させる． など

　母乳育児支援の実践的なことは他書に譲りますが，分娩中より支援を開始し，出生後なるべく早い時期からの母児の接触を促すことなども重要なこととなります．

> **COLUMN　母乳と母体の健康**
>
> 　母乳が赤ちゃんにとって最も重要なものであるということ，これに異を唱えるつもりは毛頭ありません．ただ，それは，母体が健康であってこそ！という事実からも目をそらすべきではないと思っています．
> 　ここでは，母体の健康と母乳の成分に関して，いくつか例を挙げます．
>
> （1）**母体の摂取する脂肪の種類は，母乳中の脂質の種類と直結します**
> 　日本人の母乳には，DHAなどω-系脂肪酸の含有が多く，児の発達に良いといった記事をよく目にしますが，これは，母体がしっかりとDHAなどω-3系脂肪酸を摂取している場合に限られます．母親がベジタリアンの場合，その母乳にはDHAはほとんど含まれていないそうです．母親はしっかりと魚を食べていなければならないのです．
> （2）**母乳栄養児はくる病のリスクが高いことが知られています**
> 　母乳にはCa・ビタミンDが少ないことは知られていますが，それでも，きちんと摂取を心掛けている場合とそうでない場合の差は大きいとの報告があります．また，日光浴も重要です．
>
> 　これは，ほんの一例です．母乳栄養を推進する際には，同時に母体の健康維持にも注意してあげてください．

| COLUMN | 母乳育児と虐待予防 |

　一昔前は虐待といっても身近な問題とは考えないのが一般的でしたが，近年の新聞報道などを見ていると，虐待予防に対して我々医療関係者にも可能な取り組みを考えることが重要になってきました．ここにいくつか，我々NICUで働くものにとってショッキングなデータをお示しします．

過去の調査による被虐待児のプロフィール
- 多胎率は1％未満であるにもかかわらず被虐待児の10％は多胎の1人である（谷村ら，Lancet 336: 1298-1299, 1990）．
- 被虐待児の40％は低出生体重児で，そのうち約70％は発達の遅れなど何らかの異常を有している（谷村ら，Acta Paediatrica Jpn 37: 248-254, 1995）．
- 84施設のNICU退院症例18,200名のうち，1994年〜1998年に虐待が明らかとなったのは49例で，うち23例が極低出生体重児であった（小泉ら，厚生科学研究．平成11年度研究報告書．2000）．

子供の虐待を招く因子
- 親が虐待にあった，両親不在で育ったなど親の問題
- 夫婦不和，経済的不安などのストレス
- 障害を有するなど児の問題
- 望まぬ妊娠，母子分離，双胎などによる愛着形成の阻害

などが子供の虐待を招く要因として重要とされています．

　これらから明らかなように，我々周産期医療に携わる関係者が関わる多くの児は虐待のリスクの高い子供たち，ということになるのです．もちろん我々の元を退院しても，ほとんどの子供たちが親御さんの慈愛に満ちた家庭で育まれていくことは疑いがありませんが，一部でもこのような不幸な出来事が起こらぬように，我々のできることを考えねばなりません．そこで，NICU入院児を取り巻く虐待につながる要因を考えると次の図のようになります．

（次ページに続く）

（前ページより続き）

虐待につながる要因

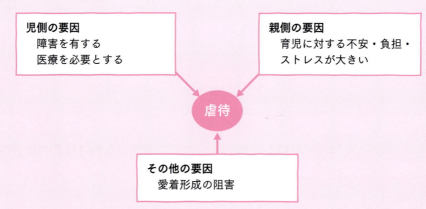

これらを踏まえると，NICU 入院児を虐待から守る手立ては次のようになります．

虐待から守る手立て

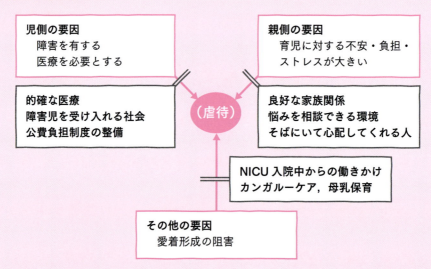

　本文に記したように，母乳が人工乳より優れた点は多々ありますが，親御さんの愛着形成に役立つ……それだけの理由でも母乳栄養を進める十分な理由になるのではないでしょうか．

　母乳栄養を促進するための参考図書としては「NICU に入院した新生児のための母乳育児支援ガイドライン（日本新生児看護学会・日本助産学会，平成22年）」などがあります．是非ご参照ください．

経静脈栄養の適応とその進め方

近年，早期母乳投与など早期からの経腸栄養の重要性とりわけ母乳の優位性が叫ばれています．それは事実ですが，超低出生体重児などでは，経腸栄養のみで必要な栄養が投与できるようになるには1～数週間かかりますし，消化管の疾患を有する児では，それ以上の長期に渡り経腸栄養が行えないような病態も珍しくありません．このため，病的新生児において，経静脈栄養をスムーズに行うことは極めて重要です．

経静脈栄養の適応

3～4日以上経腸栄養が行えない，あるいは，1週間以上経腸栄養が確立しないような症例には，積極的に経静脈栄養を開始する必要があります．すなわち，以下のような症例が適応になり，そう判断した時点で，中心静脈ライン（PIカテーテル®など）を確保することとなります．

- 極低出生体重児
- 人工呼吸管理を要するような呼吸障害を有する児（2～3日で抜管可能と予想される児は除く）
- 重症仮死（呼吸などが安定し，2～3日で重症管理が不要となるような症例は除く）
- 外科疾患・心疾患など早期新生児期に外科的治療を要するような症例
- その他

経静脈栄養の進め方

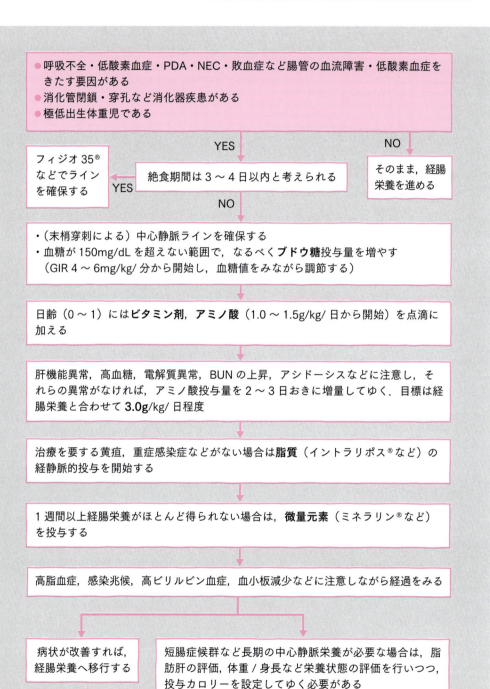

入院時の一般的な処置の流れ：（入院〜クベース収容まで）

経静脈栄養施行中の注意点（観察のポイント）

高カロリー輸液中の合併症には以下のものがあります．

（1）カテーテル留置に関連した合併症

感染・血栓・位置異常・挿入時のトラブル・閉塞・血管外への輸液内容の漏出（心タンポナーデなど）など．

（2）代謝に関連した合併症

❶ブドウ糖に関して：高血糖，低血糖

早産児・SGA児は低血糖のハイリスク群であると共に，高血糖のハイリスク群でもあります．低血糖が脳障害をきたし得ることはよく知られていますが，高血糖も発達予後不良の因子の一つと考えられます．

高血糖の定義は明らかではありませんが，我々の施設ではGIRを下げても215mg/dL以上の血糖値が持続している場合に介入を行うようにしています．低血糖も同じく，定義ははっきりしませんが，50mg/dL以上を保つべきとする意見が強いと思います．よって，血糖値は50〜215mg/dLに維持することが望まれます．

❷アミノ酸に関して：高アミノ酸血症，アミノグラムの異常，BUNの上昇，代謝性アシドーシス

アミノ酸は身体に必要な蛋白質の合成に必須であるため，積極的に投与することが重要だと考えられています．このように，アミノ酸から蛋白質を合成する働きは「同化」と呼ばれます．一方，アミノ酸やグルコースなどからエネルギーを産生し，利用する働きを「異化」と呼びます．

アミノ酸は窒素を含んでいるため，異化される時にはアンモニアを産生します．アンモニアは毒性が強く，これを無毒化することが必要です．アンモニアを無毒化するのが，肝臓における尿素回路です．尿素回路では，アンモニアを尿素に変えるのですが，その尿素に含まれる窒素の量が尿素窒素（BUN）です．

- **BUN高値の意味**：説明が長くなりましたが，腎機能に異常がない状態でのBUNの上昇は，アミノ酸が異化されていることを意味します．このため，BUN高値そのものが人体に強い毒性を示すわけではありませんが，アミノ酸が有効に「同化」されていないことを示していますので，30mg/dL以上の高BUN血症となった場

合には，アミノ酸投与量の減量を検討しても良いかもしれません．
- **高アンモニア血症の意味**：高アンモニア血症は，アミノ酸が異化にまわされ，アンモニアが多量に産生されていること，そして，そのアミノ酸が尿素回路でうまく処理できていないことを示しています．このため，少なくとも150 μmol/L以上の高アンモニア血症となった場合は，アミノ酸投与量を減じるべきだと考えます．

3 脂質に関して：必須脂肪酸欠乏症，高脂血症

通常，脂肪はLPL（リポ蛋白リパーゼ）が分解し，遊離脂肪酸となってエネルギーとして利用されます．しかし，在胎32週未満の早産児はLPL活性が低いために，イントラリポス®など脂肪乳剤に含まれる脂肪滴が上手く分解できず，脂肪滴のクリアランスが悪いことが問題となります．脂肪滴が血中に長く留まると，これが網内系にトラップされ，免疫能の低下を生じるなど，種々の問題が生じる危険性があります．

脂肪乳剤投与中に，トリグリセリド（TG）が高値であるということは，脂肪が有効に利用できていないことを意味します．よって，高脂血症を認める場合には，脂質投与量の減量が必要と考えられます．

4 ビタミン，微量元素に関して：その過剰／欠乏

ビタミンの過剰に臨床症状から気づくことは少ないと思いますが，その欠乏症はしばしば臨床症状から気づかれることがあります．代表的なものが，亜鉛・ビオチンなどの欠乏に由来する難治性の湿疹です．また，早産児骨減少症は，しばしばビタミンD欠乏によることがあり，注意が必要です．

5 電解質に関して：骨病変

早産児骨減少症の最も頻度の高い原因はリン不足です．骨の形成には，リン以外にカルシウムも重要です．また，カルシウムの腸管からの吸収にはビタミンDが必要であり，カルシウム不足やビタミンD不足も骨減少症の原因となり得ます．そこで，その鑑別が重要です．以下，鑑別の方法を記します．
- **リン不足**：リン不足は，血清リン低値・尿中リン排泄低値（＝尿細管リン再吸収率〔%TRP〕高値）から診断されます．この場合，リンを補充することが重要ですが，後述するように，リンの過剰投与はカルシウム欠乏を招くため，リンが過剰になっていないかも重要です．

リン過剰の診断は，尿中リン排泄高値（＝尿細管リン再吸収率〔%TRP〕低値）によります．

- **カルシウム・ビタミンD不足**：カルシウム and/or ビタミンD不足は，血清カルシウム低値（〜正常）・尿中リン排泄高値（＝尿細管リン再吸収率〔%TRP〕低値）から疑われます．

6 全般によるもの：肝障害（PNAC：parenteral nutrition-associated cholestasis）

2週間以上の静脈栄養を施行した症例で，直接ビリルビン値が2mg/dL以上となった症例をPNACと診断するのが一般的です．必要エネルギーの70%以上を静脈投与に依存する症例では，発症頻度が著しく高いことが報告されています．

COLUMN　リン・カルシウムと尿中リン排泄・尿細管リン再吸収率との関係

　リンは尿細管で再吸収率が調節されて，尿中排泄量が決まります．リン欠乏時には，生体はリンの排泄量を減らしてリンを失わないように努めるため，尿中リン排泄量はゼロに近くなり，尿細管リン再吸収率は99%以上となります．このため，リン不足の診断は難しくありません．

　一方，リン過剰ですが，リンが過剰になって最も都合の悪いことは，カルシウム欠乏を招くことです．カルシウムは神経や筋肉の働きにも必須であるため，カルシウムが不足すると，骨からカルシウムを動員し，血中カルシウム濃度を維持しようとする機序が働きます．この代表的なものが副甲状腺ホルモン（PTH）です．

　PTHは骨吸収を促進することによって，血中カルシウムの上昇をもたらしますが，一方で尿中リン排泄量も増やします（＝尿細管リン再吸収率〔%TRP〕を低下させます）．このため，カルシウム不足では，血清カルシウム低値（〜正常）・尿中リン排泄高値（＝尿細管リン再吸収率〔%TRP〕低値）となるのです．

（3）絶食に関連した合併症

- 消化管粘膜の萎縮，消化管ホルモンの分泌低下，肝障害
- Refeeding syndrome：成人の栄養不良患者では静脈栄養により急速に栄養投与を行うと低カリウム血症・低リン血症のため心不全となることが知られており，Refeeding syndromeと呼ばれています．近年，SGAの極低出生体重児や，消化器疾患を有する新生児でも報告されるようになり，注目されています．このため，高度の栄養不良患者に中心静脈栄養を開始する際にはゆっくりと投与量を増量することが重要とされているのです．

COLUMN　Refeeding syndromeの機序

　飢餓状態では，インスリン分泌は抑制され，カテコラミン・コルチゾールなどインスリン拮抗ホルモンの分泌が亢進しています．これらのホルモンは異化を亢進させ，体蛋白や脂肪組織からエネルギーを産生する働きがあります．このような飢餓状態に，突然急速にグルコースを投与すると，インスリンの分泌が促進され，グルコースはインスリンの作用で細胞内にどんどんと取り込まれます．

　グルコースが細胞の中に入る際にはカリウムも一緒に細胞内に入ってゆくので，低カリウム血症を生じます．また，グルコースが利用されるとATPが産生されますが，ATPの産生にはリンが必要なので，低リン血症が生じるのです．

飢餓時に急に糖質が負荷されると

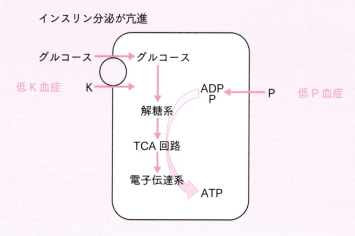

経皮穿刺による中心静脈ライン

これは，新生児領域における経静脈栄養を大きく変えました．この点は十分に評価されるべきですが，いくつかの合併症が報告されていることも忘れてはなりません．なかでも，感染症（敗血症など）は常に注意すべき合併症です．その他，稀ではありますが，ラインの破損による障害，血管からの輸液内容の漏出による障害（心タンポナーデを含む）も報告されています．これらの合併症の頻度を常に意識しつつ，刺入部・ライン走行部・ライン先端部・および全身状態の管理を心がけることが重要です．

なお，これらの合併症が起こらないよう，たとえ合併症が生じてもなるべくその障害を拡大させないよう注意することは重要ですが，種々の報告を見ていると，これらの合併症は完全には避けられないのかもしれません．

現段階では，中心静脈ラインを確保する際には，
「中心静脈ラインは本当に必要か？」
「起こりうる合併症のリスクに比べて，中心静脈ラインを確保することによって得られるメリットの方が本当に大きいか？」
をよく考え，事前にご両親にしっかり説明する必要があります．

COLUMN 低出生体重児とメタボリックシンドローム

第2次世界大戦やその後の食糧難の時代に胎児期を過ごし低栄養に曝された子どもが，成人した後に高率にメタボリックシンドロームを発症するということが疫学的検討から報告され，それを裏付ける動物実験も多く発表されています．このため，「子宮内発育遅延がメタボリックシンドロームの発症のリスク因子となる！」ということが大きな話題になっています．

また一方では，子宮内発育遅延児に関わらず，低出生体重児は全般的にメタボリックシンドロームを発症しやすいのだという意見もあります．このため，低出生体重児の栄養を考えるときには，この側面も考える必要があるのです．すなわち，「十分な栄養は児の神経学的予後を改善する」反面,「過剰な栄養は（もしかしたら）メタボリックシンドロームのリスクを高めるかもしれない」のです．

これは，非常に難しい問題であり，今後，解決してゆかねばならない大きな命題です．

| COLUMN | 医療行為と合併症 |

　近年，医療行為に伴う合併症が「医療事故・医療ミス」として取り扱われるケースが目立つようになってきました．もちろん，新聞報道などを見ても，医療者側が責められても仕方のないケースも多々あることは事実だと思いますが，我々が日常的に行っている医療行為は100％安全なものばかりではなく，ある一定の確率で合併症が生じうるものも多く含まれています．

　このような合併症のリスクを有する医療行為を行うときは，事前に「その行為によってもたらされる効果」と「その行為によって生じうる合併症のリスク」を十分に患者さん（NICUにおいてはそのご両親）に説明しておくことが極めて重要です．

　合併症の説明に際しては，軽症ではあるが頻度の高いものから頻度は低いが重症のものまで，わかりやすく説明しなければなりません．緊急事態で，十分な説明を行う余裕がないときがあるのも事実ですが，できる限り，その過程を大事にしなければなりません．その上で，起こりうる合併症を想定しつつ，観察を行い，万一の場合には，それに迅速に対応できる体制を取っておくことが，患者さんのためにも自分の身を守るためにも重要です．

第 5 章

輸液・投薬の管理をする

ここがポイント！

新生児の輸液の特徴を知ろう！
- 新生児は成人あるいは年長児に比べて体液の水分量が多く，とりわけ未熟性が高い児ほどその傾向が強いのです．
- 不感蒸泄が多く，これは，児の未熟性・環境（湿度・温度）・治療（人工呼吸管理の有無など）によって左右されるため，投与水分量に影響を与えます．
- 新生児の腎機能は未熟で，体液バランスを調節できる範囲が狭いため，投与する水分量・Naなどの電解質の量を調節することで，バランスを維持してやる必要があります．
- 出生後の腎機能は日に日に変化してゆくため，特に生後数日は，その腎機能に応じた輸液組成となるよう，利尿の状態・血清電解質を見ながら，対応してゆく必要があります．
- 「積極的に投与水分を制限することで，動脈管の閉鎖を促したり，心不全を軽減させる」「積極的に投与水分量を増やすことで，多血症を改善させたり，黄疸の軽減を促す」など，輸液療法が治療に直結するケースも多いのです．

1 各種病態における輸液量を考える

第5章 輸液・投薬の管理をする

水分量を少なめに設定すべき病態

① **出生後数日**：新生児は他の年齢に比して，一般に体重あたりの水分量が多いのですが，とりわけ出生直後はその傾向が強いのです．出生後数日で〝生理的〟に体重が減少するのはこの水分量が減っていくためで，輸液を行う場合にも，生理的な体重減少が生じる程度の水分投与を心がけなければなりません．このため，出生後数日は徐々に投与水分量を増やしてゆく必要があります．なお，未熟性が強いほど，生理的体重減少の程度は大きく，極低出生体重児などでは投与水分量も10〜20mL/kg/日程度減らす必要があります．

日齢による投与水分量の変化

体重	日齢					
	0	1	2	3	4	5〜
<1,000g	60	60	70	80	90	100
<1,500g	60	70	80	90	100	100
>1,500g	70	80	90	100	100	100

② **動脈管開存症**：過剰な水分投与は動脈管の閉鎖を遅らせるため，とりわけ動脈管の閉鎖がクリティカルな極低出生体重児の場合，投与水分量が多くならないよう注意が必要です．

③ **呼吸障害**：肺の間質に余分な水分があるとガス交換の妨げになるため，多くの場合，呼吸障害時には投与水分量を制限する必要があります．

④ **心不全**：心臓のポンプ機能が破綻し，心臓腔内にある血液をうまく排出できなくなった状態を意味します．このため，心臓が処理すべき血液量を減らしてやることで，心臓の負担を軽減することが期待されます．

⑤ **希釈性低Na血症**：低Na血症の原因については後でお話しますが，実際はNaの欠乏はないのに，体液が増えたために希釈されて，見かけ上のNa不足（低Na血症）になっている場合が少なくありません．このような低Na血症においては，Naをどんどん投与すると，それだけ体内の水貯留が増大し，悪循環に陥ってしまいます．その場合，投与水分量を減じ，体内の水分貯留を軽減することが積極的な治療になるのです．

水分量を多めに設定すべき病態

① **未熟性が高く不感蒸泄が著しく多い症例**：超低出生体重児など皮膚が脆弱な児は不感蒸泄による水分の喪失は極めて重要な問題です．以前は不感蒸泄ができるだけ少なくなるよう，保育器内の湿度を100%近くに保つことが多かったのですが，高加湿状態における感染のリスクなどを考慮して，湿度は早めに下げるのが一般的です．そこで，湿度も考慮に入れた水分量の設定が必要です．

② **光線療法中**：光線療法中は不感蒸泄が多くなること，尿量を保ってビリルビンの排泄を促す必要があることから，水分量は多めにします．

③ **高Na血症**：濃いNaを希釈し，尿への排泄を促すために，高Na血症の際は一般に投与水分量を増加させます．

④ **多血症**：血液中の赤血球数が多いために，種々の問題を引き起こす病態です．これらのうち，血液の粘度が上昇することによって生じる問題は，投与水分量を増加させ，希釈してやることによって軽減することが期待されます．もちろん程度問題で，重篤な場合は部分交換輸血が必要です．

⑤ **胎児発育不全**：先ほど，生まれたばかりの児は体重あたりの水分量が多いと言いましたが，胎児期の発育が悪かった児では，十分な水分が蓄積されていないことが多く，投与水分量を多めにする必要があります．

第5章 輸液・投薬の管理をする

2 電解質異常の際の輸液組成の考え方を学ぶ

Naの異常

血清Na値の異常は体液量の異常と密接に関わっています．すなわち，高Na血症の場合には，実際に体内のNa量が過剰となっている場合と，水分量が不足しNaが濃縮され，見かけ上，血清Na値が上昇している場合があります．また，低Na血症の場合には，実際に体内のNa量が不足している場合と，水分量が過剰となり，Naが希釈され，見かけ上，血清Na値が低下している場合があります．これらを鑑別して，治療に当たることが重要です．

高Na血症

（1）新生児で高Na血症をきたす病態

1 過剰なNa投与

最も多いのは輸液組成の間違い，メイロン®の投与などで，通常明らかな原因があります．超低出生体重児の場合には，生後早期はNa利尿に乏しく，少量のメイロン®補正，動脈ラインからの生食投与のみでもNa過剰となりうるので注意が必要です．

> 7%メイロン®：$NaHCO_3$ 833mEq/L
> 生理食塩水：NaCl 154mEq/L
> ソリタT3®：Na 30mEq/L

2 水分不足

投与水分量の不足，尿細管障害・未熟性などの尿量増加，光線療法・発熱などによる不感蒸泄の増加，下痢などによる消化液の過剰喪失によって生じます．この場

合，通常尿量は減少しますが，それに利尿薬をどんどん投与して，脱水を助長することがないようにしなければなりません．

（2）高Na血症の治療

1 過剰なNa投与

Na投与量を減じ，Naの体外への排泄を促進し，血清Na値を正常化することを目標とします．

2 水分不足

この場合，体内のNa量そのものは逆に不足していることもあります．治療の基本は，水分を補給し，濃縮されたNaを希釈することですが，血清Na値を見ながら投与すべきNa量を検討する必要があります．

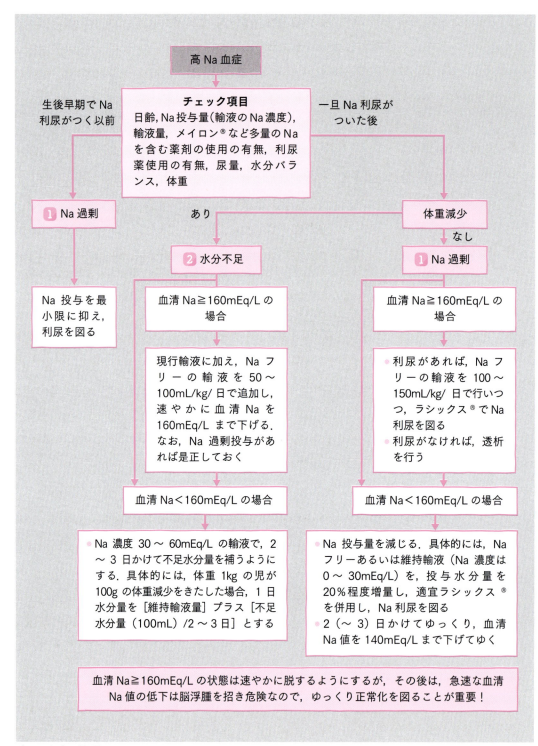

高Na血症の管理

*なお，いずれの病態においても，**急速な血清Na値の低下は脳浮腫を招くため，徐々にNa値を改善させてゆくのが原則です**．血清Na値が160mEq/Lを超えるような著しい高Na血症では，速やかに160mEq/L以下となるようにしますが，血清Na値が150mEq/L台となった後は，2〜3日かけて，徐々にNa値を改善させてゆくことが重要です．

低Na血症

（1）新生児で低Na血症をきたす病態

> Na調節の要は腎臓です．そこで，血清Naが異常値をとった時，尿中Na排泄量を見れば，原因がどこにあるか（＝どんな病態か）が分かります．
> 　具体的には，以下の2原則を覚えてください．
> 腎機能が正常であれば……
> #「血清Naが低下するand/or循環血液量が減少する」→「尿中Na排泄が減少する」
> #「血清Naが上昇するand/or循環血液量が増加する」→「尿中Na排泄が増加する」

血清Na値を維持する最も重要な機構は，腎尿細管におけるNaの再吸収量の調節です．このため，腎機能に問題があり低Na血症となっている場合は，低Na血症にもかかわらず，尿中Na排泄が多い．腎臓以外の問題によって低Na血症となっている場合は，低Na血症では，尿中Na排泄は少ない．これが大原則です．

低Na血症が生じる病態には以下の3つがあります．
1 **Na量減少型**：体内のNa量が減少した
2 **Na量不変型**：体液が異常に増加したため，希釈性低Na血症が生じた
3 **Na量増加型**：体内のNa量は増えたが，それ以上に体液量も増えたので，結果として希釈性低Na血症となった

次に，この3つの病態について解説します．

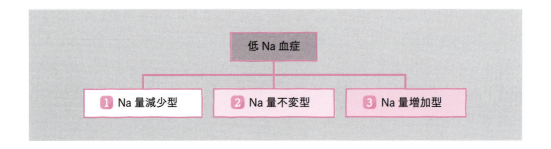

1 Na量減少型低Na血症の病態

　Na投与量の不足あるいはNaの排泄過剰のために，体内のNaが不足して，低Na血症になる病態ですが，Na過剰排泄には以下の2つの場合があります．利尿薬の使用の有無・下痢・嘔吐・腹水などの症状から診断可能ですが，この2つの病態は尿中Na排泄の多寡でも判別可能です．

原因	腎性Na喪失	腎外性Na喪失
病態	腎からのNa排泄過多	腎臓以外からのNa排泄過多
実際の病因	利尿薬の使用 Na喪失性腎症 低アルドステロン症 （アルドステロン作用の減弱による尿細管のNa再吸収障害）	下痢・嘔吐 発汗
尿中Na排泄	尿中Na排泄が多い	尿中Na排泄は少ない

Na量減少型低Na血症をみた時のチェック項目

　Na投与量が適正か？　利尿薬の使用の有無・水分出納（IN & OUT，尿量，排液量），血清K値をチェックしましょう．

1）Na必要量は在胎週数の影響を大きく受けます

　胎児は常に母体からNaの供給が得られていたため，腎臓におけるNa再吸収能が発達していません．よって，早産児もNa再吸収能が乏しい傾向にあります．とりわけ修正在胎週数の短い児ほどNa保持能が弱いため，Naの補充量にも気を配る必要があるのです．成書（Polin RA, et al. Fetal and Neonatal Physiology 6th ed.）の記載などを参考に私が考えている修正週数各のNa投与量を表に記します．

修正在胎週数	24週	26週	28週
Na必要量	8〜12mEq/kg/日	4〜10mE/kg/日	2〜6mEq/kg/日

2) 低Na血症診断における血清K値の意義

* 利尿薬投与の場合，近位尿細管〜ループにおけるNaの吸収が阻害されるため，遠位尿細管〜集合管に多量のNaが流れ込みます．これがアドステロンによるNaの再吸収・Kの排泄が亢進するため，低K血症となります．

* Na不足の場合，腎機能に異常がない限り近位尿細管〜ループにおけるNaの吸収は亢進するため，遠位尿細管〜集合管にはNaはほとんど流れてきません．このため，「Naの再吸収・Kの分泌」というアルドステロン作用が生じることができず，K排泄が抑制されてしまい，高K血症となるのです．（偽性）低アルドステロン症で高K血症となる機序はアルドステロン作用が生じない点で同じです．

2 Na量不変型低Na血症の病態

NaのIN/OUTは変わりませんが，水分が過剰となるために低Na血症となる病態です．水中毒や抗利尿ホルモン不適合分泌症候群（SIADH）がこの病態の代表ですが，副腎不全や甲状腺機能低下症による利尿の低下も，この病態といわれています．

原因	Na量不変型
病態	NaのIN/OUTは変わらないが，水分が過剰
実際の病因	SIADH 水中毒 副腎不全（グルココルチコイド欠乏） 甲状腺機能低下症
尿中Na排泄	尿中Na排泄は比較的多い

本病態で，尿中Na量が比較的多いのは，
- 体液の貯留が「腎でのNa再吸収を抑制する」
- 低Na血症が「腎でのNa再吸収を促進する」

という，相反する作用の結果生じると考えると，わかりやすいと思います．

③ Na量増加型低Na血症の病態

NaのINが過剰あるいはOUTが少ないが，水分の排泄が少ないため低Na血症になる病態です．心不全・肝障害・尿蛋白量・腎機能などの症状から診断可能ですが，この2つの病態は尿中Na排泄の多寡でも判別可能です．

	乏尿・浮腫を伴う（腎不全以外）	腎不全
原因		
病態	浮腫が出現し，有効な循環血液量が減少するため尿量が少ない	腎におけるNa再吸収率は極めて低いが，尿量がそれ以上に著しく少ない
実際の病因	うっ血性心不全 肝硬変 ネフローゼ症候群	急性腎不全 慢性腎不全
尿中Na排泄	尿中Na排泄は少ない	尿中Na排泄が多い

　浮腫・心不全による場合，血管外に多量のNaと水が漏れ，血管内にはNa・水分ともに少ない状況となります．とりわけ，血管外に漏出するNa量が水分より多くなると，血管内では低Na血症となります．この状態では……
- 有効循環血液量の不足が「腎でのNa再吸収を促進する」
- 希釈性低Na血症が「腎でのNa再吸収を促進する」

という相乗作用から，腎でのNa再吸収は促進され，尿中Na排泄が減少します．

体重増加があり「②Na量不変型」「③Na量増加型」のいずれかと考えられる場合のチェック項目

　Na投与量が適正か？　水分出納（IN&OUT，尿量，排液量）をチェックするとともに，腹水貯留・心不全・腎不全といった病態がないか確認しましょう．これらが明らかでない場合，早産児晩期循環不全の有無を判断することが重要となります．

*早産児晩期循環不全症の診断

　Naを投与しても改善しない難治性低Na血症は相対的副腎不全の重要な兆候の1つです．一方，早産児晩期循環不全で高K血症を認めることは少ないことにも注目すべきです．加えて，浮腫・乏尿・低血圧あるいは呼吸状態の増悪を認め，かつ，超音波検査で臓器血流の低下を認める場合は本症の可能性が極めて高いといえるでしょう．

| COLUMN | 心不全の際の循環血液量 |

　浮腫の項でも述べていますが，心不全があるとき，浮腫・乏尿のため，体液量（＝循環血液量）は増えています．しかし，心拍出量が減少するため，臓器をめぐる血液の量（＝有効循環血液量）は減少してしまうのです．

（2）低Na血症をきたす3つの病態の鑑別

①体重の増減と病態との関連

上記3病態における体重の増減は以下の図のようになります．

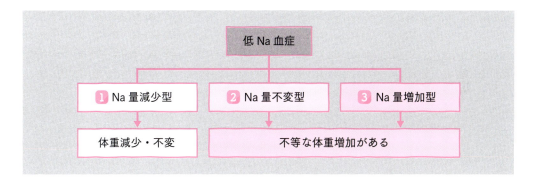

②尿中Na排泄から見た低Na血症の鑑別

ここまで解説してきた，各種病態と尿中Na排泄量を図にします．

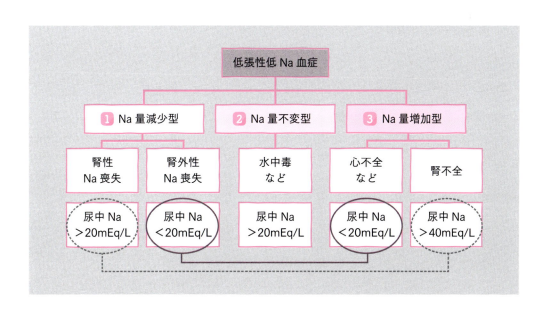

（3）各種病態とその治療

各種病態に対する治療も一覧にします．

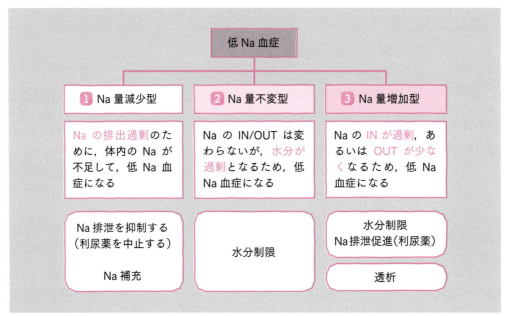

低Na血症の治療

Kの異常

（1）新生児で高K血症をきたす病態

① K投与量の増加：

新生児は腎機能が未熟なためK排泄能が低く，これを上回る量のKを投与すると容易に高K血症に陥ってしまいます．

最も注意すべきは，赤血球製剤に含まれるKです．以下に日本赤十字社が公表しているデータを示します．

赤血球製剤上清のK濃度（mEq/L）

	1日目	7日目	14日目	21日目	28日目
未照射赤血球濃厚液	1.2±0.1	19.3±2.1	30.5±2.9	38.7±2.6	45.0±2.4
照射済赤血球濃厚液	1.7±0.3	36.3±4.8	49.5±4.8	56.6±4.6	60.3±4.6

　これを見れば，採血後2週間以上経過した未照射赤血球製剤が30mEq/L以上の高濃度Kを含んでいること，照射済みの場合は1週間でも30mEq/L以上の高濃度Kを含んでいることがお分かりいただけると思います．

②細胞外液へのKの移行：

　Kは細胞外には少なく，細胞内に多量に存在しているため，細胞内外のKの移動を知ることが重要です．

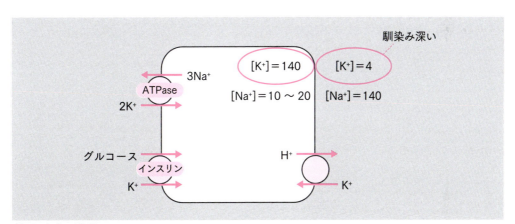

低Na血症の治療

- **アシドーシス**：血漿中のH^+が一時的に増加した場合，過剰なH^+の50％以上が細胞内に入り緩衝され，その際，Kが細胞外に出てゆきます．動脈血のpHが0.1下降するごとに，血清Kが0.6mEq/L上昇するとされています．
- **異化亢進**：重症疾患・飢餓状態では細胞内での同化作用は抑制され，体細胞を分解し，それによってエネルギーを産生するという異化作用が主体となりますが，体細胞には多量のKが含まれているため，その崩壊は大きなK負担となってしまうのです．

③尿排泄の減少：

- **腎不全あるいは体液量の減少に伴う尿量の減少**：K排泄の最も重要な臓器は腎臓

で，その機能不全は容易に血清K値の異常を招きます．
- **アルドステロン効果（ミネラルコルチコイド作用）の低下**：アルドステロンは遠位尿細管でNa再吸収／K分泌を促進しますが，21ヒドロキシラーゼ欠損症などの先天性副腎過形成，遠位尿細管障害，K貯留性利尿薬（アルダクトン®など）使用時は，その作用が阻害されます．

（2）高K血症の治療

① **Kの負荷を軽減する**：K投与量を減じ，異化を抑えるよう努める必要があります．
② **腎からのK排泄を促す**：輸液負荷・ラシックス®投与などにより，尿からのK分泌を促進します．
③ **Kを細胞内へ移行させる**：これは一時しのぎに過ぎませんが，アシドーシスの補正，グルコース・インスリン療法などによりKを細胞内に移行させるよう試みます．
④ **交換輸血・腹膜透析**：以上の治療で高K血症が改善しない緊急事態には，交換輸血・腹膜透析を行うこととなります．

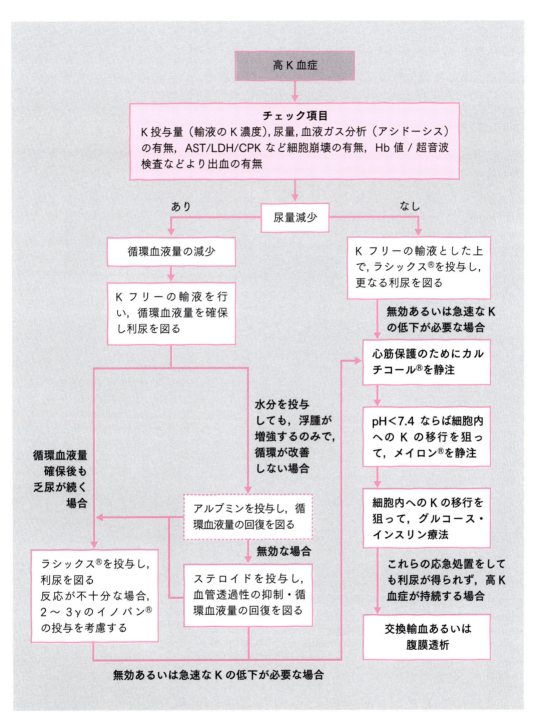

高K血症の管理

（3）新生児で低K血症をきたす病態

①**K投与量の不足**：腎からのK排泄調節能には限界があり，K利尿がついた後は排泄量に見合う量が投与されないと低K血症に陥ってしまいます．

②**細胞内へのKの移行**：
- アルカローシス：血漿中のH^+が一時的に減少し，HCO_3^-が増加した場合，細胞内のH^+が細胞外に移行し，その際Kが細胞内に移行するため．
- インスリン過剰分泌：インスリンがグルコースを細胞内に移行させる際，Kも細胞内に移行するため．

③**尿中へのK排泄の増加**：
- ミネラルコルチコイド過剰：高アルドステロン症は極めて稀．
- 遠位尿細管への流量増加：ラシックス®などの利尿薬投与時，あるいはNa過剰投与時には遠位尿細管への流量が増え，アルドステロンによるNa/K交換が促進される．

④**消化管液からの喪失の増加**：
- 嘔吐・下痢
- 腸瘻・ドレナージからの廃液

（4）低K血症の治療

①**K投与量を増加する．**

　高濃度のKの急速静注は心停止をきたす恐れがあり，その投与は慎重に行わねばなりません．通常の維持輸液に含まれるK濃度は20mEq/Lであり，40mEq/Lを超える濃度は危険とされています．実際にはそれ以上の濃度とせざるを得ないこともありますが，その際は慎重な観察・頻回の血液検査が必要です．

②**K保持性利尿薬を使用する．**

　利尿薬を必要とする病態では，アルドステロン拮抗作用のあるスピロノラクトンを使用します．ただし，単独では，十分な利尿作用が期待できないことが多く，ラシックス®と併用します．

③**他の電解質異常がある場合はそれを是正する．**

　Na, Mgなどの異常がKの異常を引き起こしていることがあり，それを是正することも重要です．

```
                        ┌──────────┐
                        │  低K血症  │
                        └──────────┘
                              │
    ┌─────────────────────────────────────────────────────┐
    │                   チェック項目                        │
    │ 1．K投与量（輸液のK濃度）                              │
    │ 2．嘔吐・下痢・ドレーンなどからの廃液の有無              │
    │ 3．尿量，ラシックス®などの利尿薬投与の有無．カルベニン®  │
    │    など非吸収性Na塩投与の有無                          │
    │ 4．インスリン過剰分泌，アルカローシスなど細胞内へのK移   │
    │    行を促す要因の有無                                  │
    └─────────────────────────────────────────────────────┘
                    │                       │
    ┌───────────────────────────┐  ┌───────────────────────┐
    │ K投与量を増加させる．具    │  │ 利尿薬が必要な場合は，K │
    │ 体的には輸液中のK濃度を    │  │ 保持性利尿薬（スピロノラ│
    │ 上げる．あるいは，コンク   │  │ クトン）に変更（あるいは│
    │ ライトK®，コンクライト     │  │ 追加）する              │
    │ P®などを内服させる         │  │                         │
    └───────────────────────────┘  └───────────────────────┘
```

低K血症の管理

第5章 輸液・投薬の管理をする

3 浮腫のある児の管理

　浮腫は循環動態の異常に基づくことも多いのですが，水と電解質のバランスに異常が生じた結果生じることも多いため，本項では浮腫のある児を看護する際のポイントを示します．

浮腫をみた場合の診断のポイント

（1）浮腫の部位：全身性か局所性か？

　局所性の浮腫は，静脈血あるいはリンパの還流を阻害する局所要因があるはずなので，それを検索することが重要です（例：乳び腹水／胸水など）．

（2）循環血液量：増加しているか？　あるいは減少しているか？

　循環血液量の増減の評価が治療方針の選択に直結する最重要事項です．すなわち，循環血液量が増加している場合は，利尿薬投与の良い適応となります．

　最も良い例が，心不全の場合です．心不全は，血管内の体液量そのものは増えているが，心拍出量が減少している状態で，循環血液量そのものは増えているが，有効循環血液量が減少した状態です．この場合，利尿薬によって利尿を促すことで，血管内水分量を減らすことが心筋の負担を軽減し，心拍出量を増やすこと（＝有効循環血液量を増やすこと）が期待されます．

　一方，晩期循環不全のように，血管外への体液の漏出（＝浮腫）によって血管内の体液量そのもの（＝循環血液量）が減少してしまっている場合，初期に利尿薬を投与することは循環虚脱を助長することとなってしまう危険があります．

　その診断に最も重要な検査は，X線・エコーの画像検査で，胸部X線のCTR，肺血管陰影（肺野の透過性），心エコーでの各心室の容量，心筋の動き，MR/TRな

どの弁の逆流の程度から循環血液量・心機能を評価してゆきます．

（3）腎機能の評価

　腎機能の評価は，血液生化学（BUN, Cre, 尿酸），尿中電解質（FENaなど），尿中NAG，β_2MGで行いますが，エコーによる腎血流の評価も重要です．

（4）血清Na

　Naの異常の項でも述べましたが，血清Na値の増減は必ずしも体内のNa量の増減を意味しません．すなわち，たとえ体内のNaが過剰となっていても，それ以上に水分が過剰であれば，血清Naは低値となってしまいます．このため，浮腫を認める場合は，低Na血症を認めたとしてもNa投与は慎重に行う必要があります．

（5）血清蛋白，アルブミン

　Naと同様，血清蛋白・アルブミンの増減は必ずしも，体内のこれらの増減を意味しません．すなわち，体内の蛋白量の減少はなくとも，過剰に水分が貯留した場合は，希釈性の低蛋白血症が生じるからです．このため，蛋白（アルブミン）の投与が病態を改善させるか否かの判断は，（2）の循環血液量の評価にかかってくるのです．

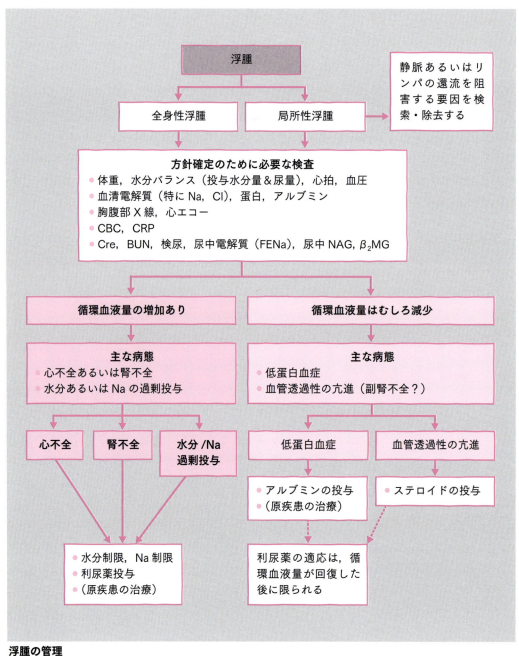

浮腫の管理

治療のポイント

(1) 循環血液量が増加している場合

　水分制限・利尿薬の投与が第一選択となります．

(2) 循環血液量が減少している場合

　浮腫が存在するにもかかわらず循環血液量が減少しているのは，血管内の水分が血管外へ漏出していることを意味します．このため，血管の透過性を低下させること，血漿浸透圧を上げることによって，漏出した水分を血管内へ引き戻す治療を選択する必要があるのです．

　くり返しになりますが，この「血管透過性の亢進」は「（相対的）副腎不全」によると考えられる症例が多く，実際そのようなケースでは比較的少量のステロイド（ハイドロコーチゾン1〜2mg/kg/日）が著効を示します．

4 薬剤投与（側注・側点滴）に関する豆知識

第5章 輸液・投薬の管理をする

NICUにおける点滴のルート内の気泡に気を配る理由

　今まで，成人の看護をしてきたナースのあなた！
「なぜ，NICUではこんなにちっぽけな気泡をみんな躍起になって取り除こうとするのだろう？」
と疑問に思ったことはありませんか？
　それにはちゃんとした理由があるのです．
　確かに，空気は非常に血液に溶けやすいので，少量であれば血管内に入ったとしても直ぐに溶けてなくなってしまいます．その上，静脈内に入った気泡は溶けきらずに心臓に達したとしても，成人では，右房・右室を経て肺へ行くため，それが，直接臓器障害をきたすことはめったにありません．
　ところが，生後まもなくの新生児では，卵円孔（あるいは心房中隔欠損孔）が開いており，まだ肺血管抵抗が下がりきっていないため，時に右・左シャントが残っていることがあります．この状態で右房に入ってきた気泡は卵円孔を通って左房に達し，そこから大動脈へと運ばれるのです．すなわち，直接脳など重要臓器に運ばれ，そこの微小血管に空気栓塞を作る危険性があるのです！また，動脈ラインの気泡はそのまま末梢動脈に運ばれますので，やはり空気栓塞の危険性があるのです！
　後から躍起になって気泡を取り除く……なんて無駄な努力をしないで済むよう，ルートを満たすときには十分注意してください．

薬剤を溶解する際に溶解液にも気を配る理由

　多くの注射薬は注射用蒸留水か生食か5%ブドウ糖液のいずれかで溶解します．実際どれで溶いても大差のない薬剤も多くあるのですが，これで溶かないとダメ！という薬剤も少なくありません．その例をいくつか挙げておきます．

① サーファクテン®は生食で溶くものですが，これを決して注射用蒸留水で溶いてはいけません！　かつて，研修医がこの間違いを犯したのですが……注射用蒸留水で溶こうとするとゲル状になってしまい，使用できませんでした．この瞬間10数万円がパーです．

② メイロンを2倍に希釈するときは注射用蒸留水で溶かすものですが，かつて，生食で希釈してしまった研修医がいました．メイロンを2倍に希釈する意味を考えたことがあれば，このような間違いは決して起こらないはずで……それは，メイロンはNa含有量が極めて高く，浸透圧が高いので，それを少しでも薄めるために希釈しているのです．これをわざわざNaを含んだ溶液で溶かすことの愚かさを心にとどめておいてください．

＊どちらで溶かしても問題ないものもありますが，このような間違いも起こりえますので，自己判断はやめて添付文書やマニュアルに沿って調製するようにしてください．

薬剤の投薬ルートに気を配る理由

　2種類以上の薬剤を混合すると沈殿を形成し，ルートを閉塞させてしまうことがあることは皆さんご存知とは思いますが，PIカテーテル®など細いルートを多用するNICUにおいては，しばしば大きな問題となります．とりわけ，血液製剤とカルシウム製剤，カルシウム製剤とリン製剤などは避けねばなりません．側注するときは，どのルートからしなければならないか？にも，注意を払ってください．

　また，これもNICUに限ったことではありませんが，側注の際に，ルート内の薬剤が一気に体内に投与されてしまうと重篤な問題を引き起こすものがあります．代表的なものは「イノバン®，ドブトレックス®などの昇圧剤」「ロクロニウム®・ドルミカム®などの筋弛緩剤や鎮静剤」などです．これらの薬剤のルートには三方活栓を付けず，早送りしない工夫も必要です．

フィルターの前・後に気を配るべき薬剤

　フィルターは不純物（細菌や沈殿など）を取り除く重要なものなので，可能な薬剤はそれを介することが原則です．しかし，分子量が高い薬剤などはフィルターにトラップされてしまい，体内に到達することができないので，フィルターより身体に近い側の三方活栓から投与しなければなりません．

　代表的なものは，血液製剤（アルブミン・ATⅢなどを含む），脂肪乳剤（イントラリポス®やリプル®など），生理活性物質（GCSFなど）ですが，そのほかでは抗真菌剤のアンビゾーム®や抗痙攣薬のセルシン®も通常のフィルターを介してはなりません．

【注】最近では，脂肪乳剤に使用可能なフィルターも販売されています．各々の製品の適応を確認の上，使用してください．

第5章 輸液・投薬の管理をする

点滴挿入の介助

　静脈・動脈・経皮穿刺による中心静脈ラインなどの挿入は，NICUにおける診療手技の中で最も基本的なものであり，最も頻繁であることは疑いがありませんが，症例によっては最も難しい手技であることも事実です．処置が難しいということは，処置に時間がかかる，すなわち，患児に負担がかかるということを意味します．

　NICUにおける医療においては，処置による患児の負担の軽減は何よりも優先されるべきものであり，医師は自らの技術の向上を，ナースはその手技を助ける介助技術の向上を常に心がけなければなりません（もちろん，ナースがルート確保をしている施設では，その技術の向上を図ってもらわなければなりませんが……）．

介助の基本

- 処置が過度に児の負担にならないか？　授乳の時間などに気を配る．
- 必要物品をきちんと揃える．
- 固定は児の負担にならない体位を考えつつ，施術者が処置しやすいよう配慮する．
- 処置中，常に児の状態に気を配る．

COLUMN　NICUに入院している新生児の痛みのケアのガイドライン2020年（改訂）・実用版．日本新生児看護学会NICUに入院している新生児の痛みのケア2020年3月ガイドライン」委員会

　新生児期に受けた痛みの感覚が長期にわたって児の認知行動に影響を与えるという報告が相次ぎ，NICUにおける児の痛みの軽減の必要性が強く求められる時代になった．是非，日本新生児看護学会のガイドラインで詳細を確認していただきたい．
https://www.jann.gr.jp/upImage/Outcomes/1661145151_006398200.pdf

第5章 輸液・投薬の管理をする

6 内服薬の投与

内服薬を母乳・人工乳に溶かして投与すべきではない

　なぜなら，母乳・人工乳に溶かすと味が変わってしまい，母乳・人工乳を飲まなくなる恐れがあること，吐乳してしまった場合，どれくらいの薬剤が投与できたのかの判断が難しいことなどがあります．加えて，乳製品と一緒に投与すると吸収が悪くなる薬剤もあり，NICUでしばしば用いる薬剤で注意すべき薬にチラーヂンS®があります．そこで，やむを得ない場合を除き，内服薬は少量の白湯で溶かして与えるようにしましょう．

　では，やむを得ない場合とはどんな場合があるのでしょうか？　思いつくのは，塩化ナトリウム（NaCl）を投与する場合でしょうか？　早産児にNaClを補充する場合は，大抵は経管栄養中なので問題にはなりませんが，先天性副腎過形成（CAH）の児に対するNaCl投与は長期にわたるため苦労するケースも少なくありません．そんな場合は母乳・人工乳に溶かすのもやむを得ないと思います．

　ただ，こんな苦労は離乳食が始まるまでのことです．離乳食が始まれば，料理の味付けにNaCl（食塩）を振りかければよいだけになるので，外来ではいつも「離乳食が始まるまでの辛抱だから，頑張って！」と声掛けしています．

同時投与注意・併用注意となる薬剤の組み合わせに注意する

1) 他の薬剤の吸収を悪くする代表的な薬剤が亜鉛製剤（ノベルジン®）です．亜鉛製剤は元々，Wilson病のキレート薬として開発された薬剤であることが示すように鉄・銅といった金属の吸収を阻害します．ですので，鉄剤とノベルジン®は時間差投与すべきです．

2) カフェイン製剤（レスピア®）は胃酸の分泌を促進するため「鉄」の吸収を阻害すると言われています．一方で，レスピア®の代謝は他剤の影響を受けやすい点にも注意が必要です．

    ＊フルコナゾールなどの抗真菌薬，H_2ブロッカー，エリスロマイシンなどのマクロライド系抗菌薬はレスピア®の血中濃度を上昇させ副作用の発現を促進する可能性があります．

    ＊リファンピシン，フェノバルビタール，カルバマゼピン，プロトンポンプ阻害薬などはレスピア®の血中濃度を低下させ，効果を減弱する可能性があります．

3) 甲状腺薬(チラーヂンS®)は他の薬剤との併用で吸収が阻害されやすいので要注意です．鉄剤，カルシウム剤，制酸剤，乳製品（前述）など多岐にわたるため，原則チラーヂンS®は他剤とは時間を空けて投与すると覚えておいた方が無難かと思います．

4) リン製剤とカルシウム製剤も同時投与禁忌の代表です．リンとカルシウムは容易に結合してしまい吸収が悪くなるだけではなく，糞石となってイレウスの原因にもなりうることから，必ず時間差をつけて投与する必要があります．

COLUMN **PVCフリーについて**

　よく聞く言葉にPVCフリーというものがあります．そこで，医療材料でしばしば取りざたされるPVCの問題を簡単に説明します．

　PVCとはポリ塩化ビニル（polyvinyl chloride）のことで，従来，日用品を含む多種多様な製品の材料として使用されてきました．しかし，1990年代にその焼却段階でダイオキシンが発生することが指摘され社会問題となりました．

　加えて，近年いわゆる環境ホルモンへの関心が高まる中で，ポリ塩化ビニルを加工する際に用いられる可塑剤，フタル酸エステルが人体に与える影響が懸念されるようになっていきました．

　そこで2000年には，厚労省は食品製造時のPVC手袋の使用を取りやめるよう通達を出し，その後PVCを含まない（PVCフリー）医療材料の開発の必要性が叫ばれ始めたのです．なお環境ホルモンによる人体への影響はすぐに現れるものではなく人体への影響も因果関係の解明されていない点が多々あります．

　しかし，その蓄積性が問題になると考えられており，我々の扱う新生児への影響についてはより慎重にならなければなりません．

第 6 章

呼吸障害のある児を看護する

ここがポイント！

　初めて人工呼吸器を装着した患児の受け持ちをする……これもまた，新人ナースの最も緊張する瞬間です．1つ1つのケアに慣れることで，その緊張をほぐしていくことが重要なことは言うまでもありませんが，その1つ1つの意味を理解していないと，とんでもないミスを犯してしまうことになりかねません．正しいケアは正しい知識の上にしか存在しないのです．

第6章 呼吸障害のある児を看護する

1 呼吸管理の方法とその適応

通常，NICUで行う呼吸管理は以下の6つです．それぞれのStepの特徴と適応について解説します．

（1）気道の確保
（2）酸素投与
（3）バッグマスク
（4）気管挿管下でのバッグによる換気
（5）気管挿管下での人工呼吸管理
（6）経鼻的持続陽圧呼吸（nasal CPAP）

（1）気道の確保

気道の確保はすべての呼吸管理の基本です．それには，まず，気道を確保する体位（ポジション）をとらせ，そしてその開通を妨げる異物（口腔・鼻腔内の分泌物や胎便など）を吸引除去することです．

気道を確保する体位とは，仰臥位では頚部を若干伸展させた姿勢で，屈曲しすぎたり，過度に伸展しすぎたりしないことが重要です．

吸引は気道を確保するために極めて重要な手技ですが，一方で「吸引は極めて侵襲性の高い手技である」という認識が必要です．なぜなら，吸引している間は呼吸ができず，怒責を生じるのが通常であり，嘔吐を誘発したり，迷走神経反射を引き起こしたりすることも稀ではありません．これらは，一時的な低酸素血症を招き，心拍・血圧ひいては頭蓋内血流の変化をもたらす危険性すらあるのです．このことを肝に銘じ，必要な処置（吸引）をできる限り短時間に終えることが大切です．

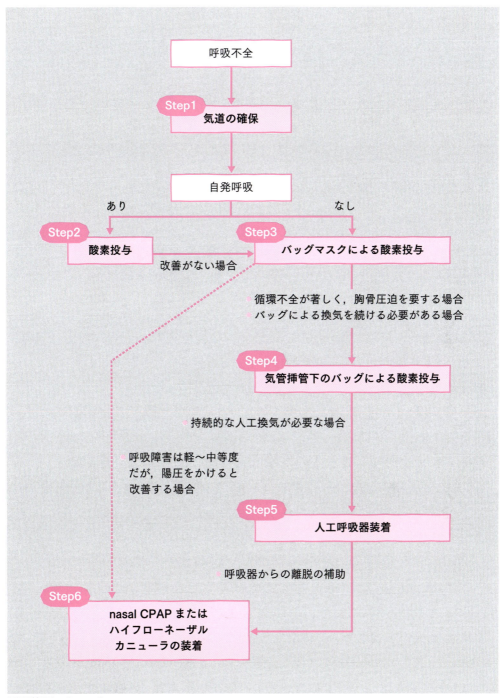

呼吸管理の6つのStep

(2) 酸素投与

　酸素投与の是非に関しては1章でも触れましたが，詳しくはまた心疾患の管理のところでお話しするとして，ここでは酸素の効用についておさらいします．

低酸素血症によって生じる問題点	酸素投与によって得られる効果
● 組織の低酸素状態が嫌気性代謝・代謝性アシドーシスを招く ● 肺血管抵抗の上昇をきたす ● 努力呼吸を生じ，酸素消費の増大を招く	● 組織への酸素の供給を増やすことにより代謝機能を改善する ● 肺血管抵抗を下げる ● 努力呼吸を抑制する ●（エアリークの吸収を促進する）

　このことからお分かりいただけると思いますが，酸素投与は低酸素血症を改善することによって多くの効果をもたらします．主な適応疾患を記載します．

- **呼吸障害（呼吸器系の異常によって低酸素血症に陥った状態）**

　新生児一過性多呼吸（TTN）・呼吸窮迫症候群（RDS）・胎便吸引症候群（MAS）・遷延性肺高血圧症（PPHN）・肺炎・無呼吸発作・仮死・エアリークなど．

- **循環不全（循環不全のために末梢への酸素供給が不十分になった状態）**

　ショック・重症低血圧など．ただし，「7章　循環器系に障害のある児を看護する」で述べるように，多くの心疾患（心臓の形態異常）では酸素投与は原則禁忌であり，注意が必要です．

(3) バッグマスク

　酸素投与のメリットについて説明しましたが，口元に酸素をあてているだけで効果があるのは，有効な自発呼吸がある児に限られます．そうでない児，すなわち「自発呼吸が不規則な児」「気道に狭窄・閉塞のある児」「胸郭・呼吸筋が弱い児」では口元酸素投与だけではあまり効果は期待できませんし，また重度の呼吸障害のある児では直ちに次のステップに移る必要があります．その次のステップがバッグマスクです．

- **禁忌**：バッグマスクが禁忌となるのは「胎便などの異物が口腔・鼻腔内に存在す

る児」「横隔膜ヘルニアなど腸管内にエアが入ることを避ける必要がある児」「エアリークが明らかな児」くらいで，それ以外のほとんどの呼吸不全が適応となります．適切なバッグマスクを行えば気管挿管に匹敵する換気を得ることが可能ですが，不適切な手技で行うと，胃内にガスを送り込むだけで，有効な換気が得られない！という結果に陥ってしまいます．しっかりした手技を身に着けることが重要です．

- **正しいバッグマスクに大切なこと**：(1) 気道の確保とともにマスクを顔面に密着させて口と鼻を確実に覆うことです．マスクの大きさは大きすぎても小さすぎても上手く顔面に密着できません．マスクと顔面の間に隙間があると，バッグの圧が気道まで伝わらず，有効な換気圧をかけることができないのです．NICUで働く以上，この手技は必ずマスターしてください．なぜなら，（あってはならないことですが）人工呼吸管理中の児が計画外抜管した際，当直医が来るまでの数分間，児を低酸素血症から救い，障害を残さずリカバーできるか否かは，この手技が確実にできるか否かにかかっているのです．

(4) 気管挿管下でのバッグによる換気

「胎便などの異物が口腔・鼻腔内に存在する」「高度な循環不全を伴い胸骨圧迫や薬物療法を必要とする」「バッグマスクで換気が改善しない」あるいは「持続的にバッグマスクを施行する必要がある」などの場合に気管挿管が必要となります．気管挿管を行った場合，仮死など原因が一過性であるケースを除き，通常は，人工呼吸器を装着することとなります．

- **気管挿管に関して知っておくべき新生児の特徴：**

①新生児ではなぜ，カフなしチューブを用いるのか？

新生児の気道は脆弱なため，チューブによる圧迫によって血行障害や機械的刺激による損傷を受け，浮腫や肉芽を生じる危険性があります．このため，多少リークを生じる程度の太さのカフなしチューブを挿入するのが鉄則です．しかし近年，新生児に対しても手術時などはカフありチューブを使用する施設が増えてきているようです．

②新生児の気管挿管になぜリークが必要か？

上述の気道の損傷を避けることのほかに，肺の圧損傷を避けるという大切な意味があります．不用意なバッグ加圧，人工呼吸器の最大吸気圧は肺に圧損傷を与え

る危険性があり，これを回避する意味で，気管とチューブのリークは欠かせません．なお，新生児ではこのようにリークを残して管理するために重量式の換気設定は適切ではなく，重圧式の設定を用いるのです．

（5）気管挿管下での人工呼吸管理

人工呼吸器装着の適応は，これまで説明してきた通りですが，具体的には以下のように要約されます．
- 努力呼吸が強く，酸素投与のみでは努力呼吸が増悪傾向にある
- 自発呼吸に乏しく，チアノーゼが持続する
- 血液ガス分析にて$PaCO_2 \geq 60mmHg$
- $SpO_2 \geq 90\%$あるいは$PaO_2 \geq 60mmHg$を得るのに40〜50％以上のF_IO_2を必要とする

なお，在胎週数32週未満の早産児などRDSのリスクが高く，また呼吸循環動態の変化が脳室周囲白質軟化症（PVL）や脳室内出血（IVH）に直結しうるような児の場合，努力呼吸を認めれば上記のような基準を満たすのを待たずに早めに気管挿管し，人工換気を開始すべきと考えます．

（6）経鼻的持続陽圧呼吸（nasal CPAP）

鼻から空気を送り込むことによって，呼気終末時にも肺胞に陽圧を与え，肺のコンプライアンスを保つという呼吸方法です．理論上は「自発呼吸はしっかりしているが，肺のコンプライアンスが悪い児」に適応となります．

個人的には，nasal CPAPで常に3〜4cmH_2O以上の呼気終末時陽圧（PEEP）を保つことは困難なため，RDSなどの治療には十分な効果は期待できないのではないかと思っていますが，中等症以上のTTNには有効なことがあります．また近年，INSUREといった方法での有効性が報告されています．

COLUMN　INSUREアプローチ

　1990年代半ば以降，INSUREアプローチが人工呼吸管理日数を減少させる・CLDのリスクを軽減するという報告が多数みられるようになりました．INSUREとは，IN（気管挿管して）SUR（サーファクタントを投与して）E（投与後速やかに抜管）し，その後CPAPで補助換気を行うという管理方法です．CPAPで上手く管理できるか？ INSUREの成否を決定するといっても過言ではありません．

　すなわち，早すぎる在胎週数・小さすぎる児・肺低形成・感染といった児は，CPAP管理のみでは呼吸が保てず，失敗するリスクが高いため，適応症例を選ぶことが重要だと思われます．

　しかし，人工呼吸器を早くあけたい，慢性肺疾患予防のため，なるべく早く抜管したいという心を揺さぶる呼吸管理方法です．

　人工呼吸器からの離脱を促進する目的として，極低出生体重児の抜管時の補助呼吸として，肺のコンプライアンスを保ち，無呼吸発作を予防する目的での使用も有効です．

COLUMN　SiPAP（二相性CPAP）

　DPAPのベースラインレベルにSIPAP圧力（CPAPの高い方のレベル）を加えることによって，深呼吸を加える方法です．通常，SiPAPレベルは，ベースラインより1〜3cmH$_2$O高値，持続時間1秒，30回/分が一般的のようです．自発呼吸の弱い児，特に無呼吸発作が問題となるような児での有効性が期待されています．なお，二相性とはいえ，患児の呼吸と同調させているわけではありません．

COLUMN **ハイフローネーザルカニューラ（high flow nasal cannula）**

　呼気時に，鼻腔の隙間から吸気ガスが逃げてゆくとともに，呼気ガスが排気できるよう，十分な余裕（隙間）を持たせてカニューラを装着する（＝50％以上のリークを持たせる）ものです．空気流量は6L/分程度とするのが一般的なようです．
　PEEPが維持でき，CPAP同様の効果が期待できるという報告もありますが，リークを持たせる構造上，PEEPには大きな期待はできないのでは？という懸念もあります．一方，吸気フローを維持することによって，吸気時に気道が閉塞してしまうのを防ぐ効果はあるのでは？といった意見もあり，大きな期待を担っている新しい補助換気療法の１つです．

吸気時：強く息を吸い込むと，気道が陰圧になってしまい，気道閉塞が生じる

ネーザルハイフローで十分な吸気フローが確保されていれば，気道閉塞は生じない

ハイフローネーザルカニューラ（high flow nasal cannula）の原理

COLUMN **NIV-NAVA（non-invasive NAVA）**

　これまでの経鼻式補助換気が，患児の呼吸に同調させる機能がなかったのに対して，NIV-NAVAは患児の呼吸の開始をトリガーしてそれに同調させた補助換気を行う点で，画期的な方法です．詳細は後述する気管内挿管下のNAVAで説明しますが，横隔膜の活動電位，すなわち呼吸に伴う横隔膜の動きをトリガーとして呼吸補助を行うものです．近年NAVAを使用する施設が増え，その有効性を示す報告が増加しています．

2 人工呼吸器を理解する

第6章 呼吸障害のある児を看護する

　我々の施設で現在，主として用いている呼吸器の設定は大きく分けてIMV（間歇的強制換気），SIMV（同期式間歇的強制換気），HFO（高頻度振動換気），NAVA（神経調節換気）の4種類です．この4つを理解しておけばNICUで必要な呼吸管理のほとんどに対応できるため，この4つについて話を進めます．

（1）IMV（intermittent mandatory ventilation；間歇的強制換気）

　自発的な呼吸を残しながら強制的に陽圧換気を行い，不足している換気量を補う，最も基本的なモードです．補助換気の回数を多くし，自発呼吸がなくなった状態をCMV（conventional mechanical ventilation）と区別することもありますが，基本的には同じものと考えていただいて結構です．新生児では，一般に従圧式の換気を行い，換気条件は以下の5つの要素からなります．

① 最大吸気圧（PIP）
② 呼気終末時陽圧（PEEP）
③ 換気回数（Rate）
④ 吸気時間（IT）
⑤ 酸素濃度（F_IO_2）

　なお，人工換気の設定の指標として最もよく使用される「平均気道内圧（MAP）」は換気回数×［（PIP－PEEP）×吸気時間/60］＋PEEP の式で計算されます．

　動脈血の酸素分圧（PaO_2）に関与するのは，酸素濃度・平均気道内圧・吸気時間です．すなわち，酸素濃度，最大吸気圧，吸気時間が大きいほどPaO_2は高くなります．一方，二酸化炭素濃度（$PaCO_2$）と関係するのは呼吸回数・呼気時間・吸気と呼気の圧較差（PIP－PEEP）です．つまり，$PaCO_2$を低下させるには，呼吸回数を増やし，最大吸気圧を上げ，呼気終末時陽圧を下げればよいことになります．

なお，IMVは肺への損傷が避けられないので，次の2つの呼吸法にモードを変更し，なるべく「肺に優しい呼吸管理」を目指すこととなります．

(2) SIMV（synchronized intermittent mandatory ventilation；同期式間歇的強制換気）

基本的にはIMVと同様ですが，自発呼吸の開始を呼吸器が感知し，児の自発呼吸開始と同時に器械が陽圧換気を行い，自発呼吸を補助する呼吸方法です．これによって，自発呼吸の仕事量を軽減させ，また，自発呼吸とIMVによる器械呼吸のタイミングのずれによるファイティングを防ぐ効果が期待されます．

(3) HFO（high frequency oscillation；高頻度振動換気）

今まで述べてきたように，(S) IMVによる呼吸管理は，呼吸不全が高度な児あるいは非常に脆弱な超早産児などにおいては，吸気・呼気の圧較差による損傷は避けがたいものであり，CLD（chronic lung disease）やエアリークの発症を引き起こすことも稀ではありません．

そこで考え出されたのがHFOで，換気回数を10Hz（600回/分）以上にすることによって，1回換気量を生理学的死腔より小さくした呼吸法です．気道内の空気および肺胞壁の振動によりガス交換を行うもので，平均気道内圧によって酸素化が規定され，振動の大きさ（振幅）によって，二酸化炭素の拡散が規定されます．この呼吸法では，吸気・呼気の圧較差がほとんど生じないために，肺への損傷が起こりにくいという利点があります．また，エアリークを生じた場合や，横隔膜ヘルニアなどエアリークの危険性が極めて高い病態で人工呼吸管理を要する場合は，HFOの良い適応と考えられます．

次にRDSのときのIMVの初期設定からウィーニングの手順をチャートで示します．もちろんこれは絶対的なものではありません．

```
                入院時胸部X線・マイクロバブルテストでRDSと診断
                                    ↓
                          サーファクテン®投与
                    ↙                        ↘
    ウィーニングが順調に進み，6時間後      ウィーニングが進まず，VIが0.03
    のVIが0.03以下となった場合            以下とならない場合
            ↓                                    ↓
    経過良好！                            呼吸障害が改善しないのはなぜ
    6〜12時間後に胸部X線を再検する        か？を検索する必要がある
            ↓
    2〜3日の早期抜管が可能なら，ウィー
    ニングを進めるが，肺の虚脱がみられ
    るなど経過が不良な症例はHFO管理
    とすることがある
```

IMVのウィーニングの原則：
PaO_2 が高ければ F_IO_2, PIP, IT を下げ，$PaCO_2$ が低ければ Rate を下げる

HFOへの切り替え方（例）：
初期設定：IMVの設定のMAPより2〜3cmH$_2$O程度高めのMAPに設定する．F_IO_2 は通常IMVとほぼ同等．振幅は胸郭の震えを見ながら，$PaCO_2$ が40mmHg台になるように設定する．
▶ PaO_2 が高ければ F_IO_2, MAPを下げる
▶ PaO_2 が高ければ振幅を下げる
▶ F_IO_2 < 0.3，MAP 8〜10程度になれば抜管を考慮する
▶ SIMVへ変更，あるいはそのまま抜管へ

ウィーニングの進め方（例）：
初期設定：PIP/PEEP＝15〜18/5〜7cmH$_2$O，Rate 40回/分，IT 0.4〜0.5秒，1回換気量 5〜7mL/kg，F_IO_2 0.21〜1.0
▶ F_IO_2 を下げる（F_IO_2 0.6まで）
▶ PIPを下げる（PIP 15まで）
▶ F_IO_2 を下げる（F_IO_2 0.21まで）
…通常6時間はこのあたりまで…
▶ PIPを下げる（PIP 12まで）
▶ Rateを下げる（20まで）
…このくらいまでRateが下がったらSIMVモードを変更する

RDS（呼吸窮迫症候群）の管理

(4) NAVA（neurally adjusted ventilatory assist；神経調節補助換気）

　これまでの同期式強制換気は，吸気のフローを感知してそれをトリガーとするものでしたが，この方法では，小さな児の呼吸を検出するのに限界がありました．新生児の気管挿管はカフなしチューブで行うことが多いため，リークが大きく，フローがうまく検出できない，児が小さいとフローそのものが小さすぎて，うまく検出できないといった問題があったためです．

　NAVAの画期的なところは，経食道的に挿入したプローブのセンサーが横隔膜の電位を検出し，その活動電位に応じた補助換気を行う点にあります．従来のトリガーに比べて，はるかに効率よく，吸気の開始が検出できること，活動電位の大きさに応じた補助換気を行うため，児の呼吸の大きさに応じた補助ができることなどの利点を有しています．

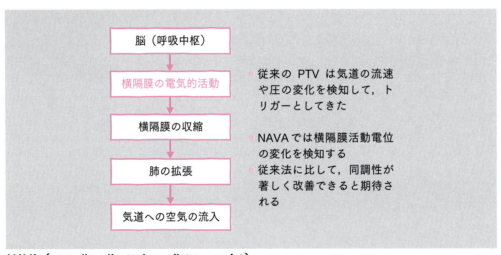

NAVA（neurally adjusted ventilatory assist）

COLUMN　Edi（横隔膜活動電位）

　NAVAでは，Ediをモニタリングできることが特徴の1つです．無呼吸状態の児はEdiが出ません．安静な呼吸をしている児では，Ediは比較的低い値を規則的に示してくれます．一方，努力呼吸している呼吸困難児は高いEdiを示します．このように，EdiはNAVAのトリガーとしてだけではなく，呼吸機能モニタリングの重要な指標になりうると期待されています．

人工呼吸管理中の ケアの実際

第6章 呼吸障害のある児を看護する

挿管チューブの固定

以下に挿管チューブに関連するサイズの目安を示します．

体重	気管チューブのサイズ	経口挿管の場合の固定長	吸引チューブのサイズ
〜1,000g	2.5mm	5.5〜7cm	5Fr
〜1,500g	2.5〜3.0mm	7〜8cm	5〜6Fr
〜2,000g	3.0mm	8cm	6Fr
成熟児	3.0〜4.0mm	9〜10cm	6〜8Fr

　ある程度この表を頭に入れておくことは重要ですが，これはあくまで目安に過ぎません．実際は，気管挿管施行後に，リークの有無・左右の肺野に均等にエアが入っているかを確認した後に固定し，その後，胸部X線でチューブの先端が正しい位置に存在することを確認する必要があります．正しい位置とは，第2〜3胸椎の位置でかつ気管分岐部より5〜10mm以上，上にあることです．

　なお，このように胸部X線は気管内チューブの固定を決める最も重要なものの1つですが，ここに大きな落とし穴があることを知っておいてください．というのは，X線を撮る際の体位（特に首の屈曲伸展の具合）によってチューブの深さが大きく変わってしまうということです．気管挿管中の児の胸部X線を撮る際は必ず，普段，管理している体位で確認する！という原則を忘れないでください．

正しい気管内吸引とは？

　本章では，気道の確保の重要性を繰り返し説明してきました．気管チューブに分泌物が貯まり，換気に障害をきたすような状態は絶対に避けなければならない事態であり，気管内吸引が必要な理由です．しかし，気管内吸引には多くの合併症のリ

スクがあるため，それを熟知した上で，最小限かつ必要十分な気管内吸引を心がけなければなりません．

気管内吸引の必要性

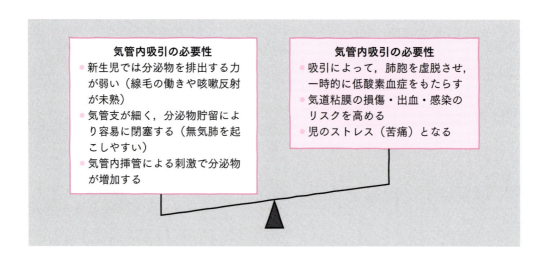

　必要性が合併症のリスクを上回るときに，これらの合併症をなるべく避けるように留意しながら，気管内吸引を行う必要があるのです．

　このため，多くの施設では従来「○時間おき」などというようなルーチンの気管内吸引が行われていましたが，近年吸引は児の状態に応じて行うのが良い，と考えられるようになってきています．以下に吸引を行うべき児のサインを記します．

- 気管チューブ内に分泌物が見える．
- ファイティングの出現（自発呼吸の増加・咳嗽・くしゃみ・あばれるなど）
- チアノーゼの出現，SpO_2の低下，$TcPCO_2$の上昇など
- 心拍数の変化（頻脈・徐脈）
- 肺雑音の増加
- HFOの場合，胸のふるえの減弱

　なお，これらのサインが出現したにもかかわらず，吸引物がほとんどない場合には，気管内洗浄を試みる必要があります．気管内洗浄は吸引以上に侵襲性のある処置ではありますが，分泌物が粘稠で，通常の吸引では引けないときには有効な処置です．決してルーチンに行う必要はありませんが，上記のような場合には，超低出生体重児で1回0.1～0.2mL，成熟児で1回0.2～0.5mL程度の生食による洗浄が有効な場合があります．

4 呼吸管理中に患児の状態が急変したら
～人工換気療法時の主な合併症の管理～

人工換気療法時の主な合併症

1）気道内圧損傷・エアリーク
2）呼吸器感染症・敗血症
3）慢性肺疾患（CLD）
4）脳室内出血・肺出血
5）腹満・NEC
6）ブロンコスパズム（気管支痙攣）
7）トラブル
   - 人工呼吸器の作動不良：回路の漏れ・閉塞，加温加湿器の不良，回路内の水溜り
   - 気管内チューブのトラブル：事故抜管，閉塞，片肺挿管，位置の問題，機械的気道損傷，出血，声門下狭窄，無気肺

トラブル発生と考えるべき所見

1）症状の急変
   ① SpO_2 の低下
   ② 血圧の変動
   ③ チアノーゼの出現・増強
   ④ 腹部膨満の増強・胃残の増大
2）換気中のファイティング
   ① 不規則で激しい自発呼吸
   ② 吸気時の陥没呼吸の増強
   ③ シーソー呼吸の出現

トラブルを疑ったときの対処の手順（チェックポイント）

(1) 人工呼吸器は正常に作動しているか？

①まず，回路を確認する．
②児の状態が悪いときには，一人で対処せず，他者を呼び，手動換気（バギング）してもらっている間に，テストラングを着けて，人工呼吸器の作動を確認する．
③HFOの場合も，テストラングを着ければ，ある程度作動の確認はできるが，わかりにくい場合はCMVモードに変更して（リークの有無など）作動を確認する．

(2) チューブトラブルはないか？

A. まず，チューブの位置を確認する．
　①深すぎないか？　浅くなっていないか？
B. 気管内吸引はいつもと変わりないか？
　①気管内吸引カテーテルはいつもと同じ深さまで入るか？
　　浅いところまでしか入らない場合，カテーテルの外側に吸引物がまとわりついてくる場合には，「チューブの狭窄・閉塞」が考えられる．
　　いつもより深く入る場合は，「計画外抜管」が考えられる．
　②気管内吸引物の量・性状に変化はないか？
　　母乳・人工乳など，それまで胃内から吸引されていたものが気管内吸引物として吸引されるようになった場合，「計画外抜管（あるいは誤嚥）」が考えられる．
C. 胃内吸引をしてみる．
　①胃内から次々にエアが引けてくる場合は「計画外抜管」が強く疑われる．チューブの閉塞の際にも，努力呼吸による呑気で胃内ガスが増大するが，バギングと共に胃内ガスが急増する場合は「計画外抜管」が強く疑われる．
D. 手動換気（バギング）しながら，胸郭の上がり具合を見て，左右肺へのエア入りを聴診する．
　①バギングした際に「全くチアノーゼが改善しない」「胸郭が上がらない」「エア入りが聴こえない」「腹満が増強する・腹部が持ち上がる」「胃内ガスが増大する」場合は「計画外抜管」が強く疑われる．食道挿管になっている場合は，バ

ギングしながら胃内ガスを引いてみると，次々ガスが出てくる（ただし，胃チューブが正しい位置に挿入されていることが前提）．

②高濃度酸素で強くバギングすると胸郭が多少持ち上がりSpO_2の改善傾向がみられるが，弱めにバギングした場合胸郭の上がりが悪くSpO_2の改善がみられない．このような場合は「チューブの狭窄（閉塞）」が強く疑われる．

③肺がさほど悪くない児の場合，計画外抜管していても高濃度酸素でバギングすると，SpO_2が多少改善することがある．これは，口腔内の酸素濃度が上がるために自発呼吸下に酸素化が改善しているのである．このため，SpO_2の変化にばかり気を取られるのではなく，「胸郭の上がり具合・呼吸音・腹部所見」をしっかり判断することが重要である．

④バギングしながら聴診するときは，まず上腹部（胃）の音を聴く．この時，胃チューブの挿入確認時のような「バスッ」とか「ボコッ」という音が聴取されたら，食道挿管になっている．肺野の音（呼吸音）はファイティングが強いときは非常に判断しにくい．つまり，本人の自発呼吸の音（肺胞音）も聴こえ，胃に入るガスの音の反響も聴こえるため，肺の音から判断すると間違える危険性が高い！　肺野の聴診では「バギングとタイミングの合った肺胞音の聴取」が重要！

⑤HFOの場合，聴診所見で判断するのは不可能である．たとえ，肺野の聴診上，呼吸音が聞こえたとしてもそれは自発呼吸の音を聞いているに過ぎず，挿管チューブが正しく気管内に位置するという意味ではない．また，食道挿管でもチューブの位置によっては多少胸郭が振動しているように見えることもあるため，胸郭の振動に頼って判断するのも危険．（児の状態にもよるが）基本的にはHFOモード下で判断しようとせず，バギング下で判断する！

> 挿管チューブが気管内に位置するか，食道内に位置するかを鑑別する最も確実な方法は，二酸化炭素検出器（Pedicap™，Mini STAT™）を装着してバギングしてみることである！

▶もし気管内にあれば数回バギングすれば必ず二酸化炭素を検出するが，食道挿管の場合はいつまでも二酸化炭素は検出しないためである．

> 計画外抜管・チューブ閉塞の"**唯一の対処法は気管内チューブの抜去**"である．
> 気管内チューブを抜去すれば，児はそれだけでも楽になる！
> 抜去した後，適切なバッグマスクで手動換気を行えば，必ず換気状態は改善する．

⑥「バギングしても，胸郭が上がらない」「チアノーゼが増強し，血圧が下がっていく」にもかかわらず，陥没呼吸が目立たない場合は気胸が強く疑われる．

⑦バギングした際，左右の肺のエア入りに差がある場合は，チューブ位置が深く片肺挿管になっているか，無気肺を作ったかのいずれかである．

E. **気胸あるいは無気肺が疑われるとき，直ちに透光試験を行い**，その後，胸部X線を撮る．透光試験はペンライトの光源を胸壁に当てることで簡易に行える．

> 気胸になっている場合は，患側を下にし，酸素濃度を上げ，モードをHFO（初期設定：15Hz/MAP 12程度/amplitude 30程度/SIなし）として，指導医の到着を待つ．緊張性気胸でなければ，この状態で様子を見ればよいが，緊張性気胸の場合はトロッカーカテーテル/太めの点滴留置針で脱気する．

> 無気肺と判明した際は，気管内洗浄を行った後，患側を上にし，頻回に気管内吸引を行う．
> また，肺炎による無気肺を考慮し，CBC/CRP（生化学）/血液ガス分析を測定，血液・気管内分泌物・胃内吸引物培養を採取した後に，抗生剤の投与を考慮する．

気管挿管チューブのトラブルではないと判断した場合

　上記の過程を経て，計画外抜管・無気肺・気胸が完全に否定され，チューブの閉塞も否定的な場合でも，はっきりした原因が思い当たらなければ，とりあえずTチューブを入れ替えてみる．

　それでも，呼吸状態が改善しない場合は，出血・感染の可能性を考慮する．

① Hb/Htの急速な低下が診られた場合，体腔内への出血（頭蓋内・腹腔内・消化管内など）への出血を考え，超音波検査を行う．Hb/Ht値によっては，同時に輸血（FFP・MAP）の準備を始める．

② WBC・血糖値（and/or CRP）の上昇が確認された場合には，感染を疑い，血液・気管内分泌物・胃内吸引物・便・尿の培養を採取した後に，抗生剤の投与を開始する（便・尿に関しては，すぐに入手できなければ，抗生剤投与が先になっても止むを得ない）．

③ いずれの状況においても，急速な呼吸状態の悪化が生じた場合には，それが落ち着くまで，とりあえず絶食とする．呼吸状態不良の際に無理に経腸栄養を進めると，誤嚥・NECなど重篤な合併症をきたす恐れがある．

　以上，記載してきたことをチャートにすると次のようになります．

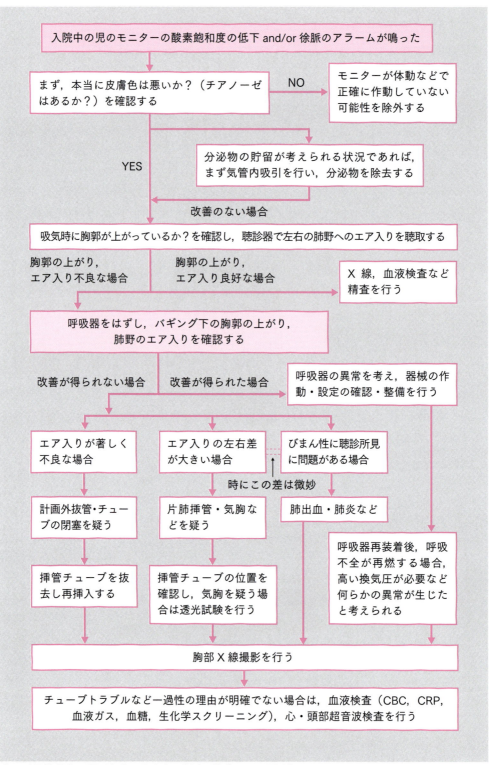

人工呼吸管理中の児が急変したときの対応〔(S)IMVの場合〕

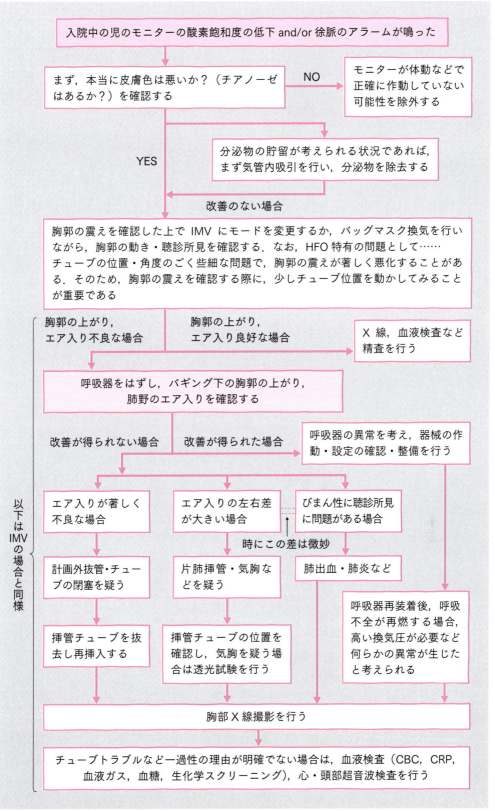

人工呼吸管理中の児が急変したときの対応（HFOの場合）

第6章 呼吸障害のある児を看護する

5 人工呼吸器からの離脱の際に注意すること

　こんなことを言ったら怒る方もあると思いますが……私は，医療の現場で起こることのほとんどは起こるべくして起こるものだと思っています．つまり，全く誰もが予想だにしなかったことが起こるのは極めて稀だということです．そして，次に起こりうることを常に想定しながら，治療を進めているか？　それとも目先のことだけを考えて，行きあたりばったりな治療をしているか？　そこが優れた医療か，そうでないかの分かれ目なのです．

　抜管後に起こりうることを予想しながらケアをすることも，その合併症を早期に発見するために最も重要な事柄です．抜管後に起こりやすい代表的な合併症は，「無呼吸発作」「喉頭浮腫」「無気肺」です．

　近年，このような古典的な呼吸器離脱後の合併症に加えて，新たな問題が生じてきました．以前ならば，とても呼吸器離脱なんてできなかった小さな児が，種々の非挿管によるデバイスの恩恵を受けて抜管可能となってきたことが背景にあります．人工呼吸器からの早期離脱は慢性肺疾患の重症化予防に欠かせないという事実があるところに，早期抜管を後押しするNIV-NAVA, nasal CPAP, high flow nasal canulaeといった種々のデバイスが使用可能となり，新生児呼吸療法の潮流は早期抜管へ大きく突き進んでいます．もちろん，このような進歩は喜ばしいことですが，一方で以前とは違う注意点が浮かび上がってきました．

　まずは，従来通り，比較的大きな児（修正週数32週以降程度の児）の呼吸器離脱について解説し，その後に，より未熟な児の呼吸器離脱について触れたいと思います．

抜管に向けての準備

　無呼吸の可能性のある児はカフェイン（レスピア®）の投与を開始する．

抜管

① 抜管前に口腔内・気管内吸引を必要最小限行う.
② 必要最低F_1O_2に設定したAmbu BagまたはJackson-Reese Bagで加圧しながら抜管する.抜管直後に肺胞が虚脱してしまわないよう,十分に肺胞を開けてから抜管する配慮が必要です.

抜管後の対処

① 保育器内の酸素濃度を少し上げる(抜管時の$F_1O_2+0.05~0.1$とする).
② 十分に加湿するため,口元に加湿器を置くなど配慮する.
③ 抜管後約30分は安静にさせ,それ以降は理学療法を積極的に行う.
　なお,抜管後の吸引は必要以上に行うと喉頭狭窄を誘発するので注意する.
④ 喉頭浮腫のリスクが高い児の場合は,喉頭浮腫対策として,デカドロン®・ボスミン®の吸入を行う.
　(ボスミン® 0.1mL +デカドロン® 0.1mL +生食10mL)×3回/日×3日間

6 無呼吸発作への対応

第6章 呼吸障害のある児を看護する

　早産児の無呼吸発作は，NICUにおいて最も頻繁にアラームを鳴らす原因の1つです．しかし，重篤な場合，PVLなど大きな神経学的後遺症に繋がるケースもあるため，その対応は重要です．
　ここでは，実際に無呼吸発作を見た場合の行動マニュアルを提示します．なお，成熟児における無呼吸発作も，早産児における無呼吸発作も，初期対応に大きな差はありません．

無呼吸発作を疑う根拠

① 在胎週数35週以下の早産児．それまでにも無呼吸発作を経験していれば，よりその可能性が高くなります．
② 嘔吐など，誤嚥を示唆するエピソードがないこと．ただし，胃食道逆流症（gastroesophageal reflux; GER）などによる少量の誤嚥が無呼吸発作を誘発している事例もあり，この両者が必ずしもクリアに分けられるわけではありません．
③ 刺激などによる呼吸回復後，元のよい状態に戻る場合，その可能性が高くなります．

無呼吸発作に対する対応の原則

　これも基本が蘇生のA, B, Cであることに変わりありませんが，若干異なる点があり，チャートに沿って解説します．
① 無呼吸発作の多くは，未熟性によりますが，閉塞性無呼吸も少なからず存在するため，気道を確保できるポジションを取らせること，とりわけ分泌物の貯留がある場合はこれを除くことが重要です．
② すでに気道が確保されている多くの無呼吸発作の場合には，ここからがスタートとなり，児を刺激して呼吸の再開を促すこととなります．過度に頭部を揺する

ことは神経学的な後遺症の原因になる危険性が否定できないため，体幹あるいは下肢などを揺さぶって刺激します．中途半端な刺激は，たとえ一旦呼吸が戻っても，その後再び無呼吸を繰り返すことが多いため，確実に，心拍・呼吸・酸素飽和度が戻るのを確認することが重要です．

③ 以上の処置で呼吸が再開しない場合は，バッグマスクによる補助換気の適応となります．無呼吸発作であれば，通常ここまでの処置で回復するはずです．なお，PVLのリスクが高い時期の児で，バギングを要するような大きな無呼吸発作を起こす場合には，nasal CPAPあるいは気管挿管による人工呼吸管理の適応と考えられます．

成熟児の無呼吸発作

早産児の無呼吸発作は未熟性のために生じることが多く，多くの場合，チャートに示したような急性期（発作時）の対応に加えて，カフェイン（レスピア®）などの呼吸中枢促進剤の投与・低濃度酸素の投与・nasal CPAPなどの治療を考慮することになります．しかし，成熟児の無呼吸発作を見た場合は，それに加えて，無呼吸を生じる原因を検索する必要があります．具体的には，無呼吸発作は次のような要因で生じるため，これらの病態の検索が必要となります．

感染・貧血・低Na血症・低血糖・低体温・母体への薬物投与・消化器障害（胃食道逆流，腹部膨満など）・呼吸器障害（CLD・高CO_2血症など）・頭蓋内病変（PVL，出血など）など．

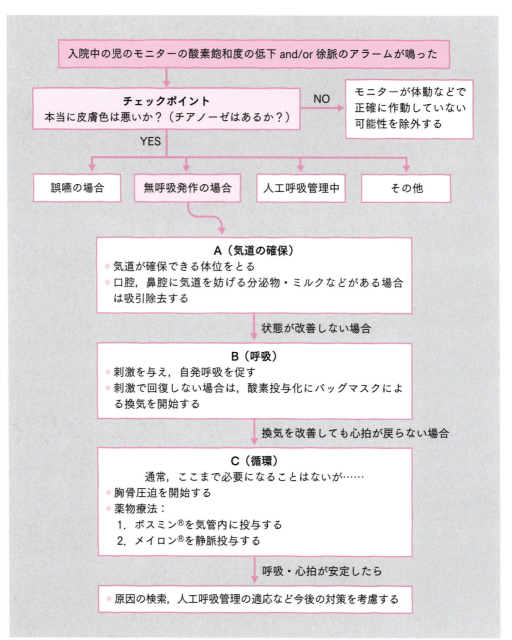

無呼吸発作に対する対応

早産児の抜管について（32週未満あるいは1,000g未満の児の呼吸器離脱）

　超早産児の呼吸器離脱の時期に関しては様々な見解があるものと思います．26週くらいでもどんどんチャレンジする施設もあれば，29～30週になるまでは挿管管理を継続するのが常といった施設もあるでしょう．本書では，どちらが好ましいかを論議するつもりはありません．ただ，29～30週になってからの抜管であったとしても，多くの場合，抜管後ただちに経鼻酸素投与なんてことはなく，何らかの非挿管下の補助喚気を開始することになると思います．そこで，非挿管下の補助換気について解説します．

【非挿管下の補助換気デバイスの選択】

　NIV-NAVA，nasal CPAP（n-CPAP），high flow nasal canulae，経鼻酸素投与など，気管挿管下の人工呼吸器管理から離脱する際に使用できるデバイスがここ数年，多岐にわたるようになってきました．一方で，個々の症例でどのデバイスを選択すべきか？で悩むことも増えてきたのではないでしょうか？　そこで，どんな状態の児にはどのデバイスが向いているか？について私見を述べます．

（1）自発呼吸に不安が大きく，呼吸補助を要する児

　非挿管下で同調性喚気補助が期待できるのはNIV-NAVAしかありません．

（2）補助喚起のデバイスの固定が難しい児

　NIV-NAVA，n-CPAPはnasal high flowに比べて不快感が強いため，児が嫌がって動くとmask/canulae fittingが上手くいかなくなり，十分なPEEPをかけることもできなくなってしまいます．そこで，デバイスの固定が難しく，かつ常時陽圧（PEEP）を高く維持する必要性が少ない児は，nasal high flowの方が呼吸が安定します．

　また注意すべきことの一つにCPAPの機械の特性があります．CPAPには圧規定の機器と流量規定の機器があります．圧規定のものは，少しmask/canulaeがずれても指定した気道内圧になるように流量をあげてくれますが，mask/canulaeが完全

にはずれたり，へしゃげてしまって空気の通りが完全に遮断されると，十分な圧がかかっていると勘違いして流量を最小限まで下げてしまうといった事態に陥ります．こういう場合には，定状流で流れる流量規定の方が良いのです．

（3）空気嚥下過多（呑気）による腹部膨満が問題となる児

　NIV-NAVA，n-CPAPなどの機器は十分なPEEP圧をかけるために流量を自動で調節してくれます．これは長所でもあるが短所にもなりうるのです．具体的には，mask fittingが上手くいかないことによってリークが生じた場合，十分なPEEPがかからないため，機器はより流量を増します．外気に向けて流量を上げる分に実害はありませんが，これが消化管に向けてだと呑気による腹部膨満が呼吸を圧迫することにつながりかねません．よって，mask fittingに問題がある場合，NIV-NAVA，n-CPAPなどの機器はうまくいかないことがあるのです．

　でも……やっぱりPEEPが必要！　そんな場合は，mask fittingに苦労しなくてもよいくらい成長するまで気管挿管を継続するほかない……最近はそんな風に考えています．

　早期抜管で肺を守ることを優先すべきか？　抜管後に呼吸が不安定になることによる脳障害のリスクを軽減させるべきか？　症例ごとに検討するほかないのです．

COLUMN　未熟児無呼吸発作の薬物療法

　第4版を書いた際には，未熟児無呼吸発作の第一選択薬であるアプニション®，アプネカット®に加えてレスピア®が登場した的な位置づけでした．しかし，ご存じの通り，日本の未熟児無呼吸発作の第一選択薬はレスピア®に統一されました．時代の移り変わりを感じます．

　ドプラム®静注薬に関してはいかがでしょうか？　京都大学ではその使用頻度が増え，以前のようにおっかなびっくり使用するという雰囲気ではなくなってしまいましたが，かつて高用量の使用で消化管穿孔といった重篤な合併症が生じた薬剤だということは常に念頭に置きながら，安全な使用を心がけたいと思っています．やはり，その切れ味は全く違うので，安全に皆が使用できる環境を守ることが使用者の責務と考えます．

| COLUMN | 親の心と医療従事者の受け止め方のずれ |

　NICUで長年働いていると，ややもすると，生まれて間もない赤ちゃんが入院する・点滴を受ける・鼻からチューブを入れられる……なんて当たり前，になってしまいがちです．しかし，出産したばかりの我が子が入院する，ましてや，点滴や鼻からチューブを入れられる，なんていうのは，一般の方々にとってはこの上なく不安なことです．それは，私たちがほとんど心配ないと感じるような軽症児においても例外ではありません．

　さほど重症な入院でなくても，NICU入院を要する児のご両親は皆不安でたまらないのだ，ということを忘れないでください．

第6章 呼吸障害のある児を看護する

血液ガス分析

血液ガスの調節機構

血液のpHは7.40（厳密にいうと7.38 − 7.41）に調節されています[1]．pHはH^+の逆数の常用対数で，$pH=\log(1/[H^+])$で計算されます．pH 7.0の際のH^+濃度は10^{-7}molつまり0.0000001molで，血液中のH^+濃度は厳密にこの近傍に調節されているのです．H^+濃度の厳密な調節を可能にするため，生体にはいくつかの緩衝系が存在しますが，その中で最も大きなものが「二酸化炭素⇄炭酸⇄重炭酸塩」系です（図1）．

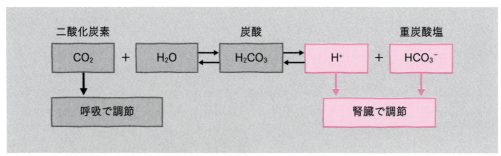

図1 「二酸化炭素⇄炭酸⇄重炭酸塩」系の概略

pHが変わると酵素反応がうまくいかない上に，重度のアシドーシス・アルカローシスはともに死に直結するため，正しく診断し介入する必要があるのです．その診断の鍵を握るのが血液ガス分析です．

血液ガス分析を評価する上で基本となる4つの病態について解説します．

（1）呼吸性アシドーシス

$PaCO_2$の増加によりpHが低下する病態で，その原因は換気障害による．新生児では，呼吸窮迫症候群（RDS），胎便吸引症候群（MAS）などが主として問題となります．

(2) 呼吸性アルカローシス

$PaCO_2$の低下によりpHが上昇する病態で，その多くは過換気による．小児〜成人では過換気症候群が有名だが，新生児では，人工呼吸器の過度な設定（換気回数が多すぎる，換気圧が高すぎるなど）が原因となります．

(3) 代謝性アシドーシス

HCO_3^-の低下またはH^+の増加によりpHが低下する病態で，以下の場合に多くみられます．

　　仮死　　　　（嫌気性代謝のために乳酸アシドーシスになる）
　　代謝異常症　　（異常な酸が産生され，蓄積される）
　　腎尿細管障害　（腎臓でのH^+排泄あるいはHCO_3^-の再吸収が障害される）
　　重度の下痢　　（消化管からHCO_3^-が喪失する）

アニオンギャップ

代謝性アシドーシスの鑑別に重要な指標がアニオンギャップです[2]．血中に存在する陰イオンと陽イオンの数は等しいため，アニオンギャップは血中に存在する[Cl^-]と[HCO_3^-]以外の陰イオンの数を示す指標です（正常値8〜14mEq/L）．仮死で乳酸が増える場合，糖尿病性ケトアシドーシスでケトン体が増える場合，先天性代謝異常症で乳酸や有機酸などの不揮発酸が増加する場合などでアニオンギャップは増大します．一方，下痢・腎尿細管性アシドーシスの場合は，HCO_3^-が減少するのと同等のCl^-が増加するため，アニオンギャップは増大しません．

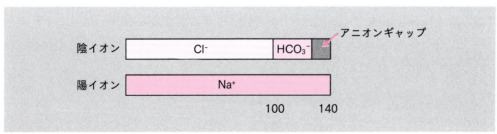

図2　アニオンギャップ
アニオンギャップとは血中に存在する主要なイオン，すなわち[Na^+]，[Cl^-]，[HCO_3^-]で計算される指標（アニオンギャップ=[Na^+]−[Cl^-]−[HCO_3^-]）である．

（4）代謝性アルカローシス

HCO_3^- の増加 または，H^+ の低下によりpHが上昇する病態で，以下の病態が多い．
　大量の嘔吐（胃酸の喪失）
　利尿薬投与（腎臓からのH^+の排泄促進）

各種病態の最重要指標のまとめ

	アシドーシス	アルカローシス
呼吸性	CO_2 ↑	CO_2 ↓
代謝性	HCO_3^- ↓	HCO_3^- ↑

　（1）〜（4）の4つの病態の指標を表にまとめました．この表からわかるように，pH，CO_2，HCO_3^- の3項目さえ見れば，その検体が4つの病態のどれかはすぐにわかります．ただし厄介なことに，生体にはpHが7.40から外れるとそれを正常値に近づける「代償反応」が存在するのです．

　すなわち，呼吸性アルカローシスの際には代償的に代謝性アシドーシスが加わり，pHを正常に近づけようとします．他の病態でも然りです．そして，血液ガス分析を評価する際には，どちらが「主たる病態」でどちらが「代償反応」なのか？を判断する必要があります．

　なぜなら，呼吸性アルカローシスが主たる病態ならばそれを是正するべき（例えば喚起回数を減らしてCO_2を貯める）ですが，もし代謝性アシドーシスを主たる病態と見誤ってアルカリ薬を投与してしまったら，せっかくの代償反応を無にしてしまい，より高度なアルカローシスを招いてしまうことになってしまうのです．

　いずれが主たる反応か，代償反応かを判断する最も簡便かつ有用な原則は「pHが7.4未満（全体としてアシドーシス）ならばアシドーシスの方が主たる反応で，アルカローシスの方が代償反応である」一方，「pHが7.4以上（全体としてアルカローシス）ならばアルカローシスの方が主たる反応で，アシドーシスの方が代償反応である」というものです．生体は極めて賢いので「しまった！　代償し過ぎた！　行き過ぎ！」なんてことはまず起こらないのです．

≪補足≫ **代償反応の例外**

　代償機構が作動するには時間がかかるため，なんらかの事象が突然生じた場合，その直後は代償反応がみられない．誤嚥による呼吸障害が生じた直後，突発的な循環不全（例えばDuctal shock），そして最も重要なのが仮死出生時の臍帯血ガスである．臍帯血ガスの場合，代謝性アシドーシスが生じても呼吸性代償が生じることがないのは当然のことである．

【血液ガス分析の評価】

血液ガス分析を評価する際は以下の手順で評価する．

Step 1　pHをみる　→　全体として　アシドーシスか？　アルカローシスか？

Step 2　CO_2とHCO_3^-をみる

　　　　→　呼吸性アシドーシスか？　呼吸性アルカローシスか？

　　　　→　代謝性アシドーシスか？　代謝性アルカローシスか？

Step 3　呼吸性・代謝性どちらが主たる病態で，どちらが代償反応かを判断する．

Step 4　主たる病態が「代謝性アシドーシス」の場合，アニオンギャップを計算する．もしアニオンギャップが陽性ならば，何らかの不揮発酸が体内で増加していることになり精査が必要となる．一方，アニオンギャップが陰性と分かれば下痢あるいは腎尿細管性アシドーシスとわかる．

参考文献

1) John E. Hall. 酸塩基平衡の調節．pp364-381．ガイトン生理学　原著第13版．エルゼビア・ジャパン株式会社（東京），2018年．
2) 河井昌彦．水電解質バランスの基礎と臨床．pp228-239．仁志田博編．新生児学入門　第5版．医学書院（東京），2018年．

第 7 章

循環器系に障害のある児を看護する

ここがポイント！

　循環器疾患を有する児はしばしば状態の急変が起こるため，怖い！という印象を持っている方は多いと思います．実際その通りで，私も決して好きではありません（ごめんなさい）．しかし，先天性心疾患を有する児に限らず，呼吸・循環という生存の上で最も重要な2本の柱は決して避けて通ることはできません．本章では，新生児の循環を考える上で，日常臨床で大きく問題となる「動脈管」「肺高血圧」「循環不全」「先天性心疾患」の4つの病態をとりあげます．

動脈管開存症

第7章 循環器系に障害のある児を看護する

　動脈管を理解するには，胎児循環と新生児循環の違いを知っておく必要があるので，ここでざっとおさらいをします．

胎児循環から胎外循環への移行のメカニズム

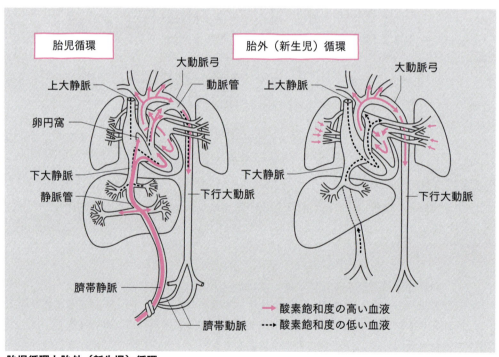

胎児循環と胎外（新生児）循環

図に示したように，胎児期には胎盤で酸素化され心臓へ還ってきた血液（酸素飽和度の高い血液）は，主として卵円孔を介して左房・左室へと流れ，大動脈から全身へと流れてゆきます．一方，上半身から心臓へ還ってきた血液（酸素飽和度の低い血液）は，主として，右室・肺動脈へと流れますが，肺の血管抵抗が高いために，動脈管を介して下行大動脈へと流れてゆきます．すなわち，動脈管からの血液が合流した後の血液はそれまでの血液より酸素飽和度が低くなるのです．これは，「酸素交換をしない肺への血流を制限する」「中枢神経系に酸素飽和度の高い血液を選択的に流す」という胎児にとっては非常に合理的なシステムです．

　しかし，出生後様相は一転します．すなわち，出生後「おぎゃー」といった瞬間に，今までの「胎盤循環」から「肺循環」へと切り替わらなければなりません．この変化の大きな要素となるのが「肺血管抵抗の低下」「動脈管の閉鎖」「卵円孔の閉鎖」などです．その中でも最も重要な変化は実は「肺血管抵抗の低下」なのですが，それは後で説明するとして，まず本項では「動脈管の閉鎖」について解説します．

動脈管の閉鎖

　成熟児では，動脈管は通常生後24～48時間で機能的に閉鎖し，その後，数週間で器質的に閉鎖します．新生児期以降までこの閉鎖が起こらない場合を動脈管開存症と呼び，1/2,000出生の頻度で生じ，先天性心疾患の5～10％を占めるとされています．

　一方，早産児では動脈管の収縮が遅れる頻度が高く，発症頻度も8/1,000出生と高くなり，さらに出生体重が小さいほど在胎週数が短いほど発症頻度が高くなることが知られています．

出生後，動脈管が閉鎖しないとどんな不都合があるか？

　通常，肺血管抵抗は出生後速やかに低下していくため，動脈管を流れる血流は高圧の大動脈から低圧の肺動脈へとなります（LRシャント；これは，胎児期の血液の流れとは反対方向です）．このため，肺への血流が増え，左心房・左心室への容量負荷となります．容易に理解していただけると思いますが，肺の血管抵抗が下がるに従って，LRシャントの量，すなわち肺血流が増えるために，日が経つにつれて心不全がはっきりと目立ってくるわけです．

　したがって，成熟児では出生後すぐに心不全兆候を呈することは稀で，他の心疾

患を合併していない限り，新生児期に心不全を呈することもありません．中等度以下の動脈管では，検診などで，心雑音で発見されることもあるのはこのためです．ところが，早産児においては，ことはもっと深刻です．

　未熟性の強い児では，左心室から駆出された血液が動脈管の方へと流れ込むことによって，体血流が拡張期に途絶える，逆流するという現象が生じます．これによって「脳血圧が大きく変動し脳室内出血のリスクを招く」「臓器血流の減少により，消化管や腎臓の機能不全を招く」など大きな障害をもたらしうるのです．

　また，肺への血流が増えることによって「肺水腫・肺うっ血・肺出血」などのリスクを高め，当然心不全のリスクも高くなってしまいます．このように早産・低出生体重児では動脈管開存症の頻度が増えるとともに，その臨床的意義も大きくなります．

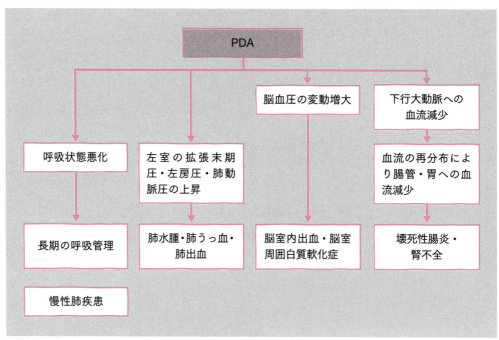

極低出生体重児のPDAが重篤な合併症をきたす機序

動脈管開存症の治療

　動脈管の開存を認める児では，投与水分量を少なく設定し，利尿薬を使用して循環血液量が過剰にならないようにするとともに，Hbを高めに維持して心臓の負荷を軽減するなどの対処を講じる必要があります．それでも，閉鎖傾向がなく，動脈管開存による前述の問題が伺われる際には，プロスタグランジン合成阻害薬（インダシン®またはイブリーフ®）の投与・結紮術などを行うこととなります．

　プロスタグランジン合成阻害薬には，低血糖，腎障害，腸管血流減少，消化管出血，血小板凝集抑制による出血傾向など種々の合併症のリスクがあります．そこで，治療の適応は個々の症例に応じた十分な検討が必要です．

　一方，動脈管結紮術は熟練した心臓外科医にとっては決して難しいものではありませんが，乳び胸水などの合併症は皆無ではありません．したがって，両者のリスクを考慮に入れた治療方法の選択が重要です．

　次に，動脈管開存症の管理の流れを示します．

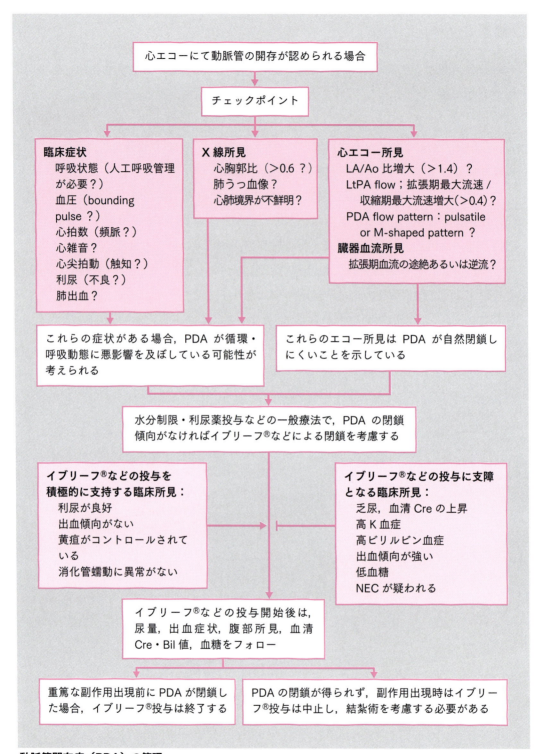

動脈管開存症（PDA）の管理

肺高血圧症

肺血管抵抗の低下

　前項で胎児循環から新生児循環への移行についてお話しましたが，その中で最も重要なイベントである「肺血管抵抗の低下」について解説します．

　なぜ，これが他のイベント（卵円孔や動脈管の閉鎖など）より重要か？というと，卵円孔や動脈管の閉鎖は必ずしも生直後に閉じるわけではなく，数時間〜数日以上経ってから閉じることも稀ではありません．それに引き換え「肺血管抵抗の低下」は生後速やかに起こる必要があるのです．なぜなら，出生後も胎児期と同様に肺血圧が体血圧より高い状態が続けば，右心室を出た血液は未だ閉じてない動脈管を介して下行大動脈に逃げてしまうためです．そして肺へ血液が流れない状態が持続してしまい，出生後肺でのガス交換が起らない，という大変な事態になってしまうのです．

　これを「遷延性肺高血圧症（persistent pulmonary hypertension of the newborn; PPHN）」と呼びます．しかし通常はこんな異常事態にはならず，出生後「おぎゃー」という泣き声とともに，肺の血管抵抗は低下し始め，肺血圧は少なくとも体血圧よりやや低いレベルまで低下するのです．この変化のトリガーとして最も重要な因子は「血中の酸素分圧が上昇すること」であり，阻害因子が「低酸素血症とアシドーシス」です．このため，仮死や胎便吸引症候群など出生時の低酸素血症とアシドーシをもたらす病態ではしばしば遷延性肺高血圧症が問題になります．

　以上の説明でお分かりと思いますが，一般の児において出生後に胎児期にみられた肺高血圧（高い肺血管抵抗）は，出生後速やかに低下してゆくものであり，それが持続すると生命に関るような重篤な病態（遷延性肺高血圧）に陥ってしまう危険性があるのです．それともう1つ記憶しておいていただきたいのは，酸素投与（低酸素血症の改善）は肺の血管抵抗を下げる働きがあるということです．

　この働きは通常は望ましい作用なのですが，肺血流の増加が問題となるような先

天性心疾患では，大きな問題となってしまうのです．

肺高血圧症を疑う2つのポイント

肺高血圧症を疑うポイントは大きくは次の2点です．

（1）チアノーゼが酸素投与に反応しない

　肺への血流が乏しい本病態ではチアノーゼに反応しないことは重要な所見ですが，これは，多くのチアノーゼ性心疾患にも共通の症状です．後述しますが，多くの心疾患において酸素投与は禁忌ですので，チアノーゼが酸素に反応しない場合は，直ちに心エコーを行い，酸素投与を続けて，肺の血管抵抗を下げるべきか？ それとも，直ちに酸素投与を中止すべきか？ を鑑別しなければなりません．

（2）differential cyanosis を認める

　"differential cyanosis" とは〝頭部・右上肢に較べて，下肢のチアノーゼが強い状態〟です．これは，僅かな肺静脈血流（酸素飽和度の高い血液）は左心室から大動脈へと流れ，頭部・右上肢を還流しますが，右心室から駆出された肺動脈血（酸素飽和度の低い血液）が動脈管を介して下行大動脈へと流れ込むため，動脈管合流部以降の動脈を流れる血液の酸素飽和度は低くなり，下肢のチアノーゼが著明となる状態を指します．このような兆候が見られたときは，右上肢と下肢の2カ所に経皮酸素飽和度モニターを装着し，その差を観察することが重要です．

　ただし，心房レベルでの右左短絡が多い場合，上下肢の酸素飽和度の差がみられなくなるので，differential cyanosis がないから PPHN ではない，とは限らないことに注意が必要です．

肺高血圧症の治療

　肺高血圧症の治療の原則は，①肺の血管抵抗を下げること，②体血圧を保ち，体血圧が肺血圧より高い状態を維持できるようにすることの2つです．

　このための一般的な管理として低酸素・アシドーシスといった増悪因子を改善させつつ，鎮静・筋弛緩をかけることが重要です．その上でCO_2の貯留を軽減する呼吸管理，肺血管抵抗を下げ，体血圧を上げる循環作動薬を用いることになります．

　管理の要点を次頁のチャートに示しますが，従来の治療では選択的に肺血管抵抗のみを下げることは難しく，肺血圧と体血圧の逆転をもたらすことは非常に困難でした．そこに登場したのが，NO吸入療法です．強い血管拡張作用のあるNOガスを吸入で用いることによって，肺血管抵抗を選択的に低下させることが可能となるのです．NO吸入療法は現在では標準的治療として広く行われるようになっています．

```
┌─────────────────────────────┐  ┌─────────────────────────────┐
│   PPHNの要因となる因子         │  │   PPHNを疑わせる所見の存在      │
│ （低酸素血症・アシドーシス）の存在  │  │ ● 酸素投与に反応しないチアノーゼ  │
│ 仮死・MAS・重症感染・エアリーク・ │  │ ● differential cyanosis    │
│ 肺低形成・心疾患など            │  │ ● 胸部X線像はクリア（肺血管陰影が減少） │
└─────────────────────────────┘  └─────────────────────────────┘
                    ↓                        ↓
┌───────────────────────────────────────────────────────────────┐
│                    心エコーで確定診断する                          │
│ ● 胸骨左縁短軸断面（肺動脈分岐レベル）で，**PDAのRLシャント**を描出する   │
│   同断面で，主肺動脈の加速時間（AcT）/ 全駆出時間（ET）比の低下，すなわち │
│   肺高血圧の存在を証明する                                         │
│ ● 心尖部四腔断面で，**卵円孔のRLシャント**を描出する                    │
│   同断面で，TRすなわち右室負荷がかかっていることを証明する                │
│ ● 総肺静脈還流異常症など**先天性心疾患を除外**する                      │
└───────────────────────────────────────────────────────────────┘
                            │ 治療の流れ
                            ↓
┌───────────────────────────────────────────────────────────────┐
│                         全身管理                                 │
│ ● minimal handlingを心がける                                     │
│ ● ドルミカム®による鎮静，ロクロニウムによる筋弛緩をかける                │
│ ● アシドーシス（pH＜7.25）があれば，メイロン®による補正を行う             │
│ ● 感染のリスクがあれば，抗生剤投与を開始する                           │
│ ● 仮死などに合併する場合は，その治療に順ずる                           │
└───────────────────────────────────────────────────────────────┘
                            ↓
┌───────────────────────────────────────────────────────────────┐
│                         呼吸管理                                 │
│ 重症例では気管内挿管下の人工呼吸管理が必要．低酸素・高炭酸ガス            │
│ 血症を改善するよう努める（できればSpO₂＞90％，PaCO₂＜40mmHg）          │
└───────────────────────────────────────────────────────────────┘
        │ 高濃度酸素を使用しても
        │ SpO₂が保てない場合
        ↓
   ┌──────────┐
   │ NO吸入療法  │
   └──────────┘
```

新生児遷延性肺高血圧症（PPHN）の管理

循環不全

少し前までは「低血圧の児に対して昇圧薬を投与するのは当然」と考えられていました．しかし，現在その考えは大きく変わってきています．

早産児の低血圧の定義は曖昧です．「平均血圧が在胎週数以上なければ低血圧と考える」という考えが広く浸透していましたが，本当にそれで正しいのか？　この基準を下回る場合に昇圧治療を開始することが予後の改善につながるのか？　という問いに対する答えは誰も持ち合わせていませんでした．むしろ，不必要な昇圧治療がかえって脳室内出血のリスクを上昇させるのではといった懸念も大きくなってきました．

そこで，「低血圧」を問題視するのではなく，低血圧によって「循環不全」が生じているか否かを見極め，循環不全があればそれに対して治療介入すべきだという考えに転じたのです．

循環不全の評価は，「血圧」だけではなく，血中乳酸値（組織の低酸素で上昇する）・超音波検査（心臓の動きや臓器血流を評価する）・皮膚色・尿量などの指標を多角的に評価することで得られるのです．

循環不全の症状

頻脈・多呼吸・無呼吸・ツルゴールの低下・皮膚蒼白・尿量減少など．

循環不全の原因とそれに対する治療法の選択

循環不全は「未熟性の強い児」「仮死」「低酸素血症（チアノーゼを有する児）」「呼吸管理を要する児」「貧血」「低蛋白血症」「心疾患」などの児に多く，これらの児では血圧およびその他の循環指標のモニタリングは欠かせません．

一般的な循環不全の治療は図に示した「volume expanderの投与」と「カテコラ

ミン and/or 副腎皮質ホルモンの投与」です．「volume expander の投与」は，心筋の収縮力は保たれているが循環血液量の不足あるいは末梢血管の拡張によって血圧が保てない場合に適応となりますが，心筋の収縮力が低下している場合は心不全を増強することになってしまいます．

一方「カテコラミンの投与」は心筋の収縮力が低下あるいは末梢血管の拡張のために血圧が保てない場合の第一選択ですが，循環血液量の不足が問題となっている場合には，末梢血管を収縮させることによってますます末梢の血流を低下させてしまうことになります．また末梢血管の拡張が（相対的）副腎不全による場合，カテコラミンに対する反応が不良なことが多く，この場合は「副腎皮質ホルモンの投与」が有効です．

このように，一言で低血圧の治療といっても正反対の治療方法から1つの方法を選択しなければならないため，胸部X線や心エコーなどによる評価が重要です．

なお，特殊な治療としては，肺血管抵抗の上昇や末梢血管の収縮によって心臓の後負担が増大し，心不全を引き起こしている場合，末梢血管拡張作用のある循環作動薬を使用することが有効な場合があります．これらの薬剤を使用する場合は，心エコーなどによる循環器系のより慎重なモニタリングが必要です．

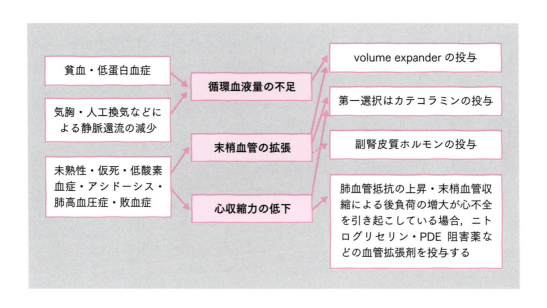

グルココルチコイド（副腎皮質ホルモン）の昇圧作用

グルココルチコイドは，心収縮力を増強させるとともに，末梢血管を収縮させることによって血圧を上昇させます．

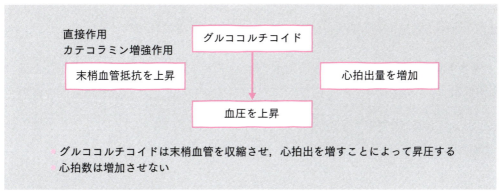

グルココルチコイドの昇圧作用

低血圧に陥ると，生体はカテコラミンを分泌して昇圧を図りますが，カテコラミン過剰分泌状態が続くと，カテコラミン受容体はDown regulateされ，カテコラミン作用は減弱してしまいます．ここで重要なのが，グルココルチコイドによるカテコラミン増強作用です．グルココルチコイドはカテコラミン受容体の産生を促進するとともに，その膜発現を促進することによって，カテコラミン作用を増強します．

このため，副腎不全に陥ると，カテコラミンに対する反応性も悪くなってしまうのです．

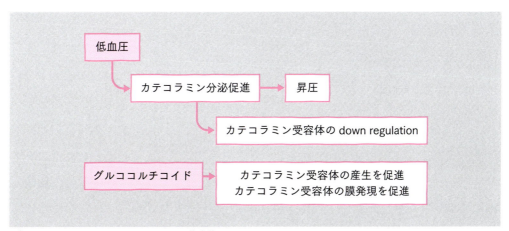

グルココルチコイドのカテコラミン増強作用

4 先天性心疾患

第7章 循環器系に障害のある児を看護する

　先天性心疾患の詳細は専門家に譲るとして，ここでは，心臓の専門家でない私の理解している範囲内の〝心疾患管理の原則〟を解説します．一言で先天性心疾患といっても多種の疾患が混在しているため，大きく4つの病態に分けて考えるのが良いでしょう．

先天性心疾患の群分類とそれぞれの病態

(1) 肺血流増加群

疾患：①非チアノーゼ性左右短絡性疾患：PDA，VSD，ASD，ECD，DORVなど
　　　②肺動脈狭窄を伴わないチアノーゼ性心疾患：短絡のあるTGA，単心室，DORVなど

病態：肺血流の増大による呼吸不全，心仕事量の増大による心不全，体血流の減少が問題となるグループです．これらの病態は，肺血管抵抗が高く肺血流が制限されている間は症状が抑えられていて，肺血管抵抗の低下とともに肺血流が増加し，症状が出現・増悪していくのが一般的です．

治療：内科的な治療戦略は，いかに肺血流を低下させるか？ つまり水分制限・利尿薬投与が重要で，肺血管抵抗を下げないことも重要です．言い換えると，肺血管抵抗を低下させる酸素投与は禁忌となるのです．

　重症例においては，鎮静・気管挿管下に"低換気療法"（$PaCO_2$を高値に保つ呼吸管理）によって肺血流を低下させ，体血流を維持して手術までの管理を行うこともあります．呼吸管理の開始の目安は，体血流の低下を示す兆候，すなわち，尿量の減少・代謝性アシドーシスの出現（BEの陰性化，乳酸の増加など）です．

（2）肺血流減少群

疾患：ファロー四徴症など肺動脈狭窄・閉鎖を伴う心疾患

病態：肺血流減少による低酸素血症が問題となるグループです．肺動脈狭窄・閉鎖のために肺血流が動脈管（PDA）によって維持されている場合（PDA依存型）と一部のファロー四徴症のように肺血流は少ないもののPDAには依存していない場合（PDA非依存型）があります．

治療：内科的な治療戦略は肺血流を維持し，鎮静などにより身体の酸素消費量を減少させることです．

　PDA依存型の場合は，PGE1製剤によってPDAを維持することが重要で，酸素投与は動脈管の閉鎖を促進させるので慎重な投与が必要となります．一方，過度な酸素飽和度の上昇は過剰な肺血流の増加による体血流の減少を示唆する所見であり，決して喜ばしい兆候ではありません．肺血流は適度に維持されることが重要なのです．一方，PDA非依存型のファロー四徴症の場合，βブロッカーによる右室流出路狭窄の軽減を行うなどの治療が必要となります．

　また，肺動脈閉鎖においては，卵円孔が小さいと静脈還流が阻害され，左心系の容量が保てなくなるためBAS（balloon atrioseptostomy）が必要となります．

（3）左心系閉鎖型（＝非チアノーゼPDA依存型）

疾患：大動脈縮窄，大動脈離断，左心低形成などで，しばしばVSDを伴います．

病態：体血流が肺動脈＞動脈管＞大動脈という流れでのみ維持されており，動脈管の閉鎖は体血流の途絶（ductal shock）を意味します．

治療：内科的な治療戦略はPGE1製剤によってPDAを維持し，外科的治療までの体血流を維持することに尽きます．当然，酸素投与は動脈管の閉鎖を促進させるので慎重な投与が必要です．

　左心低形成の場合，肺動脈閉鎖同様，卵円孔が小さいと静脈還流が阻害され，左心系の容量が保てなくなるためBASが必要となります．

（4）肺うっ血型

疾患：総肺静脈還流異常症など
病態：肺うっ血によるガス交換不良と肺高血圧によってチアノーゼと右心不全を生じる病態です．
治療：根本的には緊急の心内修復術が必須です．卵円孔が小さいと静脈還流が阻害され，左心系の容量が保てなくなるため手術までのつなぎにBASを行うこともあります．

CHDの外科的治療戦略

　先天性心疾患には，心室中隔欠損症や心房中隔欠損症のように新生児期には外科的治療を要さない疾患も多いのですが，外科的治療を要する疾患もあります．外科的治療に関しても，大血管転位に対するスイッチ術や大動脈縮窄症に対する修復術のように1回の手術で完全な血行動態の修復が可能な疾患もありますが，複数回の手術を必要とする病態も少なくありません．そこで，ここではNICUナースが先を見通しにくい「複数回の外科手術を要する病態の治療戦略」を簡単にまとめてみます．

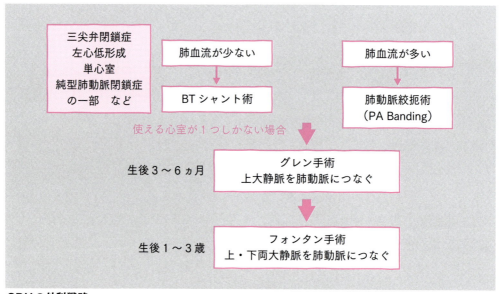

CDHの外科戦略
グレン手術⇒フォンタン手術が必要となるのは，基本的に使える心室が1つしかないような重症心疾患に限られます．右心室・左心室がともに使用できるならば全身からの静脈血を肺動脈に直接つなぐ必要など，そもそもないからです．

心室中隔欠損症でも，欠損孔が大きく新生児期にPA Banding術を要することはあります．しかしこんな場合は，体格が大きくなるのを待って，根治術（欠損孔閉鎖術）を行うことになるので，グレン術などを考えることはありません．

　また，肺動脈狭窄が強いファロー四徴症の場合も，早期にBTシャント術を行って肺血流を確保することがありますが，こんな場合でも体格が大きくなると，心内修復術（心室中隔欠損孔を閉じて，肺動脈の狭窄を解除する）を行えるようになるので，やはりグレン術などを考えることはないのです．

症例

一過性多呼吸と判断されて酸素投与等を受け，その後多呼吸，哺乳不良，尿量減少，心拡大を認めた，Down症の1例

■ 妊娠分娩歴

　妊娠経過に著変はなく，在胎40週1日，吸引分娩にて出生した．体重2,868g，Apgar score 7点（1分後，5分後とも）．出生後より呻吟，陥没呼吸，チアノーゼ顕著でSpO$_2$は80％台と低かった．一過性多呼吸と判断され，F$_I$O$_2$ 60％のnasal CPAPで呼吸管理された．生後1日より呼吸状態は徐々に改善し，生後3日にnasal CPAPから離脱したが，その後も多呼吸，哺乳不良続き，酸素投与を継続されていたところ，尿量減少・心拡大を認めるようになった．

　生後11日，心臓超音波検査にてVSD・ASD・PDAを認め，精査加療目的にて当院NICUへ搬送となった．なお，特徴的な顔貌のため染色体検査を行い，21トリソミーが確認されている．

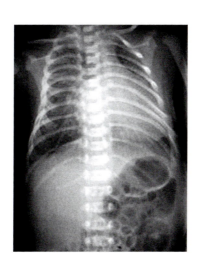

■ 入院時所見

多呼吸，陥没呼吸を認めたがSpO$_2$は95％を示し，チアノーゼは認めず，軽度黄疸を認めた．心音ではⅡ音肺動脈成分の亢進と幅広の分裂が聞かれ，LevineⅡ度の収縮期心雑音を聴取した．肝を季肋下に2.5cm触知した．胸部X線では，CTR 68％と心拡大著明で，肺血管陰影の増強を認めた．

■ 心臓の評価と入院後の経過

心臓超音波検査で，径7mmのASD，径7mmのVSD，径2.4mmのPDAを認め，中等度以上の三尖弁閉鎖不全を認めた．高肺血流による心不全と判断，ただちに酸素投与を止め，90mL/kg/日程度の水分制限と利尿薬の投与を開始した．

一時状態は改善傾向を示したが，徐々に不当な体重増加とともに多呼吸の進行を認め，水分制限を80mL/kgに強化し，利尿薬増量，ACE阻害薬の併用を開始したが，状態の改善を得られず，生後30日，当院心臓血管外科にてPDA結紮術と肺動脈絞扼術が施行された．

本症例は左右短絡性心疾患があるにもかかわらず漫然と酸素投与が続けられたために，肺血流の増加が増強し，早期に心不全に至ったものである．

早産児晩期循環不全症

近年，早産児が呼吸障害などの急性期を脱し，呼吸循環動態が安定した後に，突然，低血圧・尿量減少・低Na血症に陥る病態があることが報告され，関心を集めています．まだ十分に診断・病態解明がなされていない概念ですが，臨床上非常に重要な問題ですので，現時点での情報をまとめてみます．

症状

主症状は低血圧・尿量減少（浮腫，体重増加）・低Na血症です．その他に，無呼吸発作の増強・胃残の増加・嘔吐・活気不良・低血糖・高K血症がみられることもあります．

診断基準

診断基準の確定したものはありませんが，下のような基準が提唱されています．
① 血圧低下：厳密な基準はありませんが，「繰り返し測定した血圧が今までの80％未満」や「収縮期血圧が40〜50mmHg以下に低下」「平均血圧が35mmHg以下に低下」などの基準が提唱されています．
② 尿量減少：これも厳密な基準はありませんが，「尿量が0.5〜1mL/kg/時未満に減少」とする意見が多いようです．
③ 低Na血症：血清Na 130〜135mEq/L未満を診断基準に入れる意見と，低Na血症に関しては診断基準に含まないという意見があります．

原因

　早産が主因であることは間違いありませんが，相対的副腎不全の関与が大きいという報告が多数寄せられています．すなわち，何らかのストレスが生じた際，未熟性のため，そのストレスに見合う十分な副腎皮質ホルモンが産生できないとの概念です．その他のリスク因子としては，Na不足，HFOによる呼吸管理，超早期母乳など経腸栄養の負担，胎内感染……などが言われていますが，未だ，はっきりしたことはわかっていません．

治療

　早産児晩期循環不全症に対する治療の第一選択は副腎皮質ホルモンの投与です．以前は，容量負荷⇒カテコラミン投与に不応の場合に副腎皮質ホルモン投与に踏み切るといった段階を踏むことが必要と考えられていましたが，治療介入が遅れると，脳室周囲白質軟化症（PVL）の発症につながるとの報告などを受け，早期に副腎皮質ホルモン投与を開始すべきだという考えに変わってきています．

　もちろん，副腎皮質ホルモンには「高血糖」「易感染」「高血圧」「異化亢進」「発達障害の懸念」など種々の合併症のリスクがあるので，何でもかんでも投与してよいものではありません．そこで，私は以下のような手順を踏んで副腎皮質ホルモンの投与を考えるようにしています．

(1) 早産児晩期循環不全症を疑うポイント

　修正32（場合によっては34）週未満の早産児が，血圧低下・尿量減少・浮腫・呼吸の悪化などの症状を呈し始めた．血清Na値は低値傾向にある（多くは135mEq/L未満）．

(2) 副腎皮質ホルモンの投与を行う前に行うべき検査（除外項目）

1) 血液検査で，感染症は否定できる（白血球の増多・CRPの上昇がない）．
2) 超音波検査，動脈管の症候化は否定できる．
3) 腹部所見からも壊死性腸炎など重篤な異常は否定できる．

（3）副腎皮質ホルモンの投与を後押しする検査所見

1) Na投与量が十分であるにもかかわらず低Na血症が遷延している．
2) 超音波検査による腎動脈の臓器血流評価で，拡張期血流の低下（あるいは逆流）を認める．

⇒ 副腎皮質ホルモン投与を試みる！

予後

病態・程度によって予後は様々ですが，PVL（脳室周囲白質軟化症）をきたしたという報告も多く，リスク因子・診断・治療の確立が急がれます．

COLUMN　早産児晩期循環不全症に対するステロイド療法

早産児晩期循環不全症に対しては，原則，ハイドロコーチゾンの投与が推奨されます．個人的には，1.0mg/kg/回で十分と考えています．通常，効果は6時間以内に血圧上昇がみられ，その後，尿量が増えていきます．効果が不十分な症例や，一度昇圧してもその後，再び血圧が下がってしまうような症例に対しては，反復投与が必要です．症例にもよりますが，6～8時間おきに反復するのが一般的です．

デキサメタゾンも有効であるとの報告もありますが，デキサメタゾンの方が中枢神経系への障害のリスクが高いことから，早産児晩期循環不全症に対するステロイド療法はハイドロコーチゾンを選択すべきと考えます．

6 循環器系のモニタリング

第7章 循環器系に障害のある児を看護する

循環器系のモニタリングには以下のものがあります．

(1) 心拍モニター

最も基本的なモニターの1つですが，脈拍の変動は種々の病態を意味する重要なものです．

例えば，"頻脈"はhypovolemia（循環血液量の不足）・低血圧・心不全・ショックなどの循環障害はもとより，敗血症・発熱などの感染兆候，貧血，呼吸管理中のファイティング，テオフィリンなどの薬剤投与，甲状腺機能亢進症など種々の病態で起こります．

一方，"徐脈"は迷走神経反射，無呼吸発作，頭蓋内圧亢進，アシドーシス，低体温，甲状腺機能低下症，βブロッカーなどの薬剤投与などで起こります．

(2) 血圧モニター

観血的に動脈圧をモニタリングする場合と，非観血的にモニタリングする場合があります．非観血的な測定は極低出生体重児では高めに出ると言われており，我々の施設では，PVLやIVHなど血圧の変動が重篤な影響を持つリスクの高い極低出生体重児や，それに限らず呼吸管理を要するような重症児の急性期は，観血的なモニタリングを原則としています．

(3) 胸部X線

胸部X線から得られる情報は，肺・呼吸の情報だけではありません．心臓の大きさ・肺血管陰影の過少から，循環血液量・心不全の有無・肺血流量などに関する有

用な情報が多数得られます．

（4）超音波検査

近年，循環器モニタリングの主役になった感のあるこの検査ですが，得られる情報には以下のものがあります．

- **心エコー**

　　心エコーでは初回検査で，心筋の収縮の状態，肺高血圧・PDAのシャントの向きと大きさ・弁の逆流・心臓の形態異常の有無を評価することが求められます．これらに問題がある場合は継続的にフォローして行く必要があります．

- **頭部エコー**

　　頭部エコーが脳浮腫・脳室内出血・脳室周囲白質軟化症などの頭蓋内病変の検索に重要であることは言うまでもありません．また脳血流の評価も近年非常に重要だと考えられるようになっています．前大脳動脈などの収縮期および拡張期の血流流速から，脳の血行動態を推察するものです．動脈管開存症において，拡張期血流の引き込み（逆流）があるか否かは，症候性PDAとして治療を開始すべきかどうかのポイントになるものです．

　　加えて，近年「内大脳静脈のゆらぎ」が脳室内出血発症のリスクの評価項目として注目されるようになっています．

- **腹部臓器エコー**

　　腎臓などの腹部臓器の形態検索はもとより，腹部臓器血流の計測は重要なものとなっています．すなわち低血圧や肺血流増加型心疾患の場合，腹部臓器血流が保たれているか否かはクリティカルな問題であり，頭部エコー同様，動脈管開存症においては，拡張期血流の引き込み（逆流）があるか否かは，症候性PDAとして治療を開始すべきかどうかの指標となります．一方，早産児晩期循環不全症と診断する際にも臓器血流の低下は重要な指標となります．

COLUMN **父親への育児指導**

　核家族化が進んだ現在，育児は大きな社会問題となっています．私も，実際子供を育ててみて初めて分かったことですが，育児は大変な重労働です．その上NICUに入院・退院した児の場合，障害を有する児や多胎なども多く，その育児の負担は大きく，負担・不安に押しつぶされそうになっているケースは決して稀ではありません．これを支える社会の体制を整えることは極めて重要ですが，そう容易なものではありません．

　そこで，身近にできることは，何とか父親を育児に巻き込むことです．男は恥ずかしがり家が多いので，おだてながら，カンガルーケア・授乳／沐浴練習に参加してもらい，育児へと導いてあげる必要があります．お父さんに育児の苦労がわかってもらえる，それだけでも，お母さんの育児の負担は大きく軽減するものです．

　上記の文章は前の版（第4版）で書いたものですが，ここ数年，父親の育児参加への考え方は大きく変わりました．育休をとる父親もずいぶん増え，NICUへの面会はもちろんのこと，定期的な外来通院も両親そろって来院される方が増えました．「働き方改革」というと，どうしてもNICUにおける働き手の不足に目が行ってしまいますが，日本人の働き方に対する意識の変化が父親の育児参加につながっていることも事実です．

第 8 章

消化器系に障害のある児を看護する

ここがポイント！

　「栄養を考える」の項では主として，正常新生児と低出生体重児の栄養について考え，経腸栄養がうまく行かない場合の経静脈栄養についてお話ししました．実際，経腸栄養が順調に進まない場合は，しっかりケアするとともに診断・治療を考えてゆかねばなりません．本章では，経腸栄養がうまく進まない場合の観察のポイント，ケアについて考えます．

1 嘔吐

第8章 消化器系に障害のある児を看護する

　嘔吐は新生児で最もしばしばみられる症状の1つです．生理的なものから，緊急手術を要するものまで多様な症状であり，その鑑別が重要です．

鑑別のポイント

① 全身状態：not doing well？ 哺乳力は？ 呼吸障害・チアノーゼ・発熱などは？
② 他の消化器症状：腹部膨満は？ 排便の異常は？ 腸蠕動音は？
③ 妊娠分娩歴：羊水過多？ 仮死・感染のリスクは？
④ 吐物の性状：ミルク様？ 血液・胆汁の混入は？
⑤ 発症時期
⑥ 検査所見：X線所見，血液検査（感染兆候，組織障害・凝固障害・アシドーシスの有無），頭部エコーなど

一般的な看護

(1) 胃内容物の吸引除去

　吐物の吸引による誤嚥・窒息などの予防．

(2) 嘔吐が持続する場合は絶食を考慮する

　嘔吐が持続している際は，ミルクなどの腸管への負担は嘔吐を助長し，電解質の異常などを増悪させるため，原則として嘔吐がおさまるまでは腸管の安静を保ちます．また，血流が乏しい・粘膜などの組織が障害されているなど病的な腸管に過度の負担をかけることは，壊死性腸炎・腸管穿孔など重篤な病態を引き起こすリスク

となりえます．

（3）胃残を確認しながらの差額注入

　胃残は嘔吐の前段階であり，それ以上に胃内容物を増やすことは嘔吐を誘発し全身状態を悪化させるため，これを予防します（詳細はp.47〜49を参照）．

（4）輸液療法

　嘔吐によって不足する水分・電解質・栄養を経静脈栄養で補うことが重要です．

（5）全身状態のチェックを繰り返す！

　哺乳不良・嘔吐が「重症感染症」「腸の軸捻転」など緊急対応を要する病態の初期症状であるケースは多々あり，最初はただの吐乳であったとしても，全身状態の変化には十分な注意を払う必要があります．

2 便秘・胎便排泄遅延

第8章 消化器系に障害のある児を看護する

　正常児では，生後24時間以内に95％が，48時間以内に99％以上が胎便を排泄するとされています．このため，生後24時間以内に胎便が排泄されなかった場合は何らかの病的な要因（腸管の蠕動運動の減弱・胎便栓・消化管の狭窄／閉鎖）を考える必要があります．

病態

（1）腸管の蠕動運動の減弱

　これをきたす病態は多様で，低酸素血症によるダイビング反射などによる腸管血流の低下・感染症・電解質異常などがあります．

（2）胎便栓

　これは極低出生体重児，とりわけ子宮内発育遅延を伴う児によく見られる病態です．成熟児で見られる場合はヒルシュスプルング（Hirshsprung）病などの存在も考慮しなければなりません．

（3）消化管の狭窄／閉鎖

　p.158のチャートに示すように，閉塞部位によって症状の出現，画像所見に特徴があります．

一般的な看護

嘔吐の一般的な看護はガスブジーやグリセリン浣腸（GE）で，これが無効な場合，生理食塩水による洗腸・ガストログラフィンによる注腸などを行うのが一般的です．ここで，GEによって期待される効果とその副作用のリスクについてまとめておきましょう．

GE（グリセリン浣腸）の効果
腸管の蠕動運動の改善による
- 胎便排泄の促進
- 腹部膨満の軽減
- 腸管の負担軽減

GE（グリセリン浣腸）によるリスク
- 腸管を無理に動かすことによる腸管への負担増（特に腸管血流が悪いとき穿孔などのリスクを高める）
- 超早産児などではいきみによる頭蓋内圧の変動
- 下痢による電解質バランスの悪化

すなわち「未熟性」による場合や「仮死」「術後腸管麻痺」など一過性の要因による腸管の蠕動不良の場合は，ガスブジーやGEなどによって，腸管の蠕動を促し，腹部膨満を軽減することは重要なことです．

一方，「腸管血流が乏しい」「低酸素血症」などで，腸管が動いていない場合には，積極的に腸管の動きを促進する行為は慎重に行わなければなりません．

また，外科疾患で腸管の閉鎖がある場合は，その閉塞を介助せずに腸管の蠕動を促すことは妥当とは言えませんし，穿孔のリスクがあるようなケースでは腸管の蠕動を促す行為は禁忌となります．

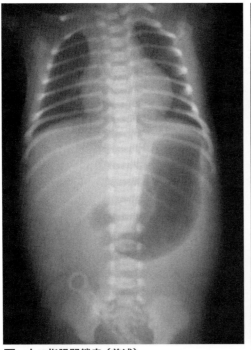

A 十二指腸閉鎖症（前述）　　　　　B 小腸閉鎖症

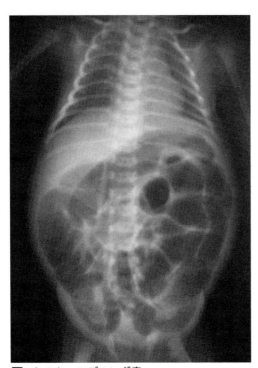

C ヒルシュスプルング病
閉塞部分が下部となるほど拡張腸管が多くなるのがおわかりでしょう．

3 嘔吐・哺乳不良を認める児の診断

第8章 消化器系に障害のある児を看護する

　嘔吐・哺乳不良は新生児では決して珍しいものではありません．多くは「初期嘔吐」などと呼ばれ，特に治療をしなくても，数日以内に自然に軽快します．しかし，嘔吐・哺乳不良の中には緊急に対応しなければならない病態も含まれており，緊急対応を要する病態（emergency）を見落とさないことが重要です．

　"emergency"としては，重症感染・DIC・脳室内出血・代謝疾患・電解質異常・低血糖症などの内科的な疾患に加え，消化管穿孔・一部の消化管閉鎖症など緊急的な外科治療を要する疾患があげられます．吐物の性状による鑑別判断の流れを示します．

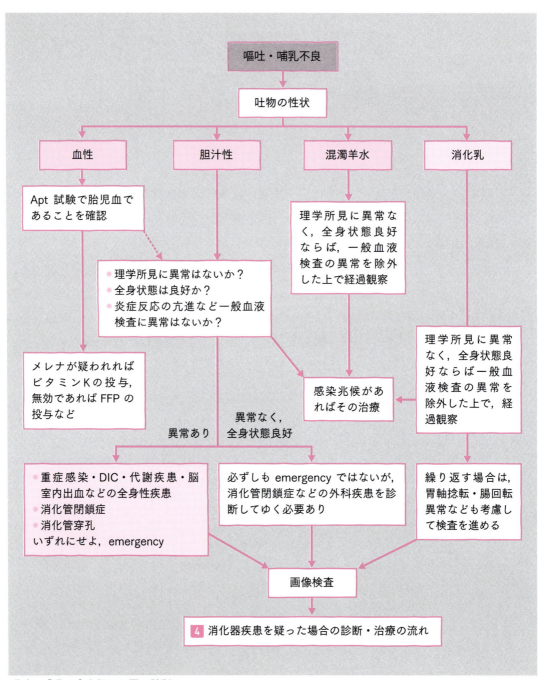

嘔吐・哺乳不良を認める児の診断

消化器疾患を疑った場合の診断・治療の流れ

第8章 消化器系に障害のある児を看護する

　嘔吐・胎便排泄遅延などの消化器症状を見た場合，内科的な疾患の可能性が低ければ，外科的な疾患の可能性を考慮することとなります．先天的な消化管閉鎖症の診断は通常それほど難しいものではなく，胸部X線・上部消化管造影・注腸造影などを行えば，多くの場合，容易に診断にたどり着きます．その診断のプロセスを次頁のチャートに示します．

　なお，外科的治療を要する病態の中で，緊急を要し，なおかつ診断が比較的難しいものに，腸回転異常による中腸軸捻転や腸重積など出生後に生じる腸管の閉鎖があります．なぜならこれらの病態では，閉鎖起点が生じるまでは腸管の交通があったため，腹部X線で典型的な所見が得られにくいためです．しかしこれらの場合，腸管の血流障害を伴うため早急な外科的治療が必要です．対処が遅れると広範な腸管が壊死に陥り，たとえ救命できても腸管の大量切除を余儀なくされ，生涯にわたるIVH栄養が必要となるようなケースも稀ではありません．腸管の血流障害を伴うような病態では，血便や全身状態の不良を伴うことが多く，血液検査では炎症反応・組織障害・凝固異常などが見られることがあります．このような臨床・検査所見が得られた場合は，緊急に対処すべき病態を考慮に入れた対応が重要です．

COLUMN　腹壁破裂・臍帯ヘルニア　術後には，甲状腺機能低下症にも要注意！

　消化器疾患と甲状腺機能低下症が直接関連しているわけではありませんが，腹壁破裂・臍帯ヘルニアなどの病変がある場合，イソジン®による広範囲の消毒が行われるのが一般的です．その結果，ヨウ素過剰になり甲状腺機能低下症に陥るケースも稀ではありません．術後，おなかの動きが悪く，栄養が通らないと思ったら，甲状腺機能低下症だった……なんてことがあるのです．

　ヨウ素による消毒が必要な児は，時々，甲状腺機能をチェックすることも重要なのです．

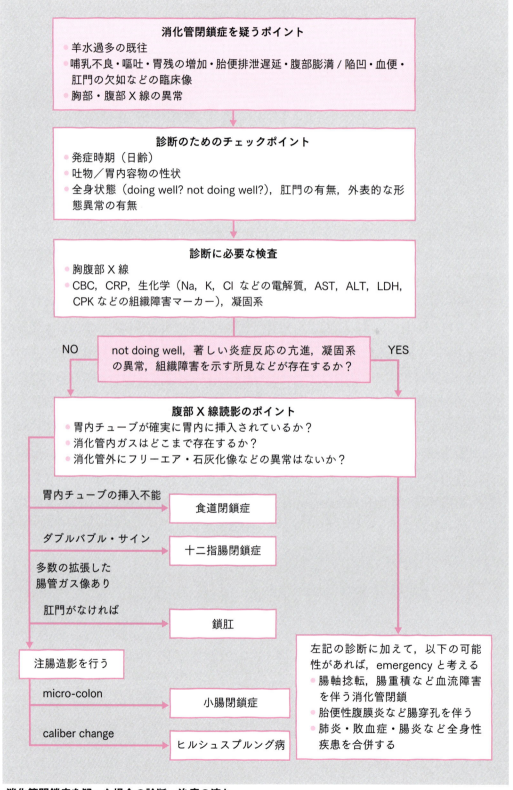

消化管閉鎖症を疑った場合の診断・治療の流れ

第 9 章

仮死出生の児を看護する

ここがポイント！

　仮死出生は突然やってくるものです．日頃からその対処の仕方を頭に入れておかないと，慌てふためいている間に貴重な時間が失われていってしまいます．このため，薬用量も含めて，1通りの対処方法をルーチンとして記憶しておく必要があります．

仮死の管理のポイント

(1) 適切な蘇生（2章蘇生の項に記載）

(2) 呼吸の安定

　生命予後・神経学的予後を改善させるためにも，呼吸の安定は第一です．仮死出生した場合は，低酸素状態を長引かせること，努力呼吸のために酸素消費量が増えることはいずれも予後の悪化に直結するため，通常より広い適応で人工呼吸管理を開始すべきです．

(3) 循環の安定

　呼吸の次に重要なことは，循環を維持し脳の血流を保つことです．p.135にも書きましたが，循環の維持は「血圧」だけでは測れません．尿量・皮膚色・血中乳酸値・X線/超音波検査による評価などから循環不全と判断した場合は以下の治療を考慮しなければなりません．
- volume expanderの投与（生食10〜20mL/kgを1〜3時間で投与します）
- イノバン® 5μg/kg/分（＋ドブトレックス® 5μg/kg/分）の投与

(4) 輸液・薬剤投与

　仮死にしばしば見られる異常（混合性アシドーシス・低血糖・低Ca血症など）を早期に補正します．
① 低血糖のリスクが高く，10%ブドウ糖液でラインを確保します．また，著しい低血糖（＜40mg/dL）を認める際は20%ブドウ糖液 2mL/kgをゆっくり静注します．
② 呼吸性アシドーシスには呼吸器の設定で対処し，代謝性アシドーシスは次式よりメイロン®で補正します．

　　メイロン®の理論上必要量（mL）＝0.3×体重（kg）×BE（base excess）

　上記の理論上，必要量の半量と等量の注射用蒸留水を混合し（2倍希釈とし），30分以上かけて点滴静注します．

③ 輸液量は脳浮腫を考慮して，若干少なめ（70mL/kg/日程度）に設定することが多いのですが，脳浮腫・脳圧亢進が著しい場合には脳血流は減少するため，過度の水分制限は脳血流の減少を増悪させてしまいます．このため，生食・アルブミン・グリセオール®・マンニゲン®など血清浸透圧を維持できるような輸液を行い，循環を維持することも重要です．
④ 低Na血症は脳浮腫を増強させるため，低Na血症にしないことが重要です．しかし，仮死による脳浮腫治療の初期輸液に関して多くの場合ブドウ糖ベースで良いと思われます．なぜなら，代謝性アシドーシスを伴うことが多く，前述のようにメイロン®によって大量のNaが負荷されるためです．ただし，メイロン®の投与が不要な場合などは，低Na血症は浮腫を増強させるため血清Na値が下がりすぎないよう，モニターしながら輸液内容（Na投与量）を調節する必要があります．
⑤ 低Ca血症のリスクも高く，低Ca血症は心筋収縮力を低下させるため，著しい場合は2倍希釈したカルチコール®1〜2mL/kgを，心拍モニターを見ながらゆっくりと静注します．急がない場合は5mL/kg/日のカルチコール®を点滴内に入れ投与します．

（5）低酸素性虚血性脳症の予後改善のためにできること

① 低体温療法：中等度以上の仮死がある場合，生後6時間以内に低体温療法を開始することが重要です．
② 頭部エコーによる脳浮腫・脳室内出血・脳血流の評価：脳浮腫を認める場合は，グリセオール®あるいはマンニゲン®投与（10mL/kgを30〜60分で点滴）を行います．
③ 痙攣を認める場合はフェノバール®15〜20mg/kgを静注します．
④ 心エコーによる心筋収縮力の評価，腹部エコーなどによる臓器血流の評価：臓器血流が低下している場合，血圧を安定させると共に低濃度のイノバン®（3μg/kg/分）を開始します．

> **COLUMN** 低体温療法の実際

　低体温療法には，全身冷却と選択的頭部冷却の2つの方法がありますが，両者の効果には大きな差はないとする意見が多いようです．一般に目標とする体温は全身冷却で33.5℃，選択的頭部冷却で34.5℃となっています．導入は，イベント発症後6時間以内に，なるべく早期に冷却を開始すべきであり，開始後72時間，低体温を維持し，その後1時間当たり0.5℃を超えない速度で，12時間以内に復温を完了させるのが通常の方法です．

低体温療法の適応
［適応基準A］
　在胎36週以上で出生し，少なくとも以下のいずれか1つに該当する．
(1) Apgarスコアの10分値が5以下．
(2) 10分以上の持続的な新生児蘇生（気管挿管・陽圧換気など）が必要．
(3) 生後1時間以内の血液ガス分析で，pH 7.00未満．
(4) 生後1時間以内の血液ガス分析で，base deficit 16mmol/L以上．
［適応基準B］
　中等度以上の脳症の所見（Sarnat分類2度以上に相当），すなわち意識障害（傾眠・鈍麻・昏睡）を呈し，その上で，少なくとも以下の神経学的所見のいずれか1つに該当する．
(1) 緊張低下
(2) 人形の目反射もしくは異常反射（眼球運動や瞳孔異常を含む）
(3) 吸啜の低下もしくは消失
(4) 臨床的痙攣
［適応基準C］
　少なくとも30分以上のaEEGの記録で，中等度以上の異常背景活動，あるいは，発作波が存在する．
［除外規定］
　以下のいずれかに該当する場合は除外する．
(1) 在胎週数36週未満の児
(2) 出生体重1,800g未満の児
(3) 大きな形態異常がある
(4) 現場の医師が全身状態や合併症から低温療法によって利益を得られない，あるいは，低体温療法によるリスクが利益を上回ると判断した場合
(5) 必要な環境が揃えられない場合

COLUMN **aEEG（amplified electroencephalogram）とは？**

　脳波記録をもとに，時間軸（横軸）を圧縮して表示したもので，波形は一定区間内の脳波の最大振幅値と最小振幅値を1本の帯として連続表示したものです．多数の電極で測定する通常脳波とは異なり，両側頭頂部あるいは両側中心部のみに電極を置いて測定することが多いため，簡便に測定できることが最大の利点です．
　aEEGの普及によって，これまで「新生児発作」と考えられていた動作の中には痙攣発作波を伴わないことが少なくないこと，逆に見た目ではとても痙攣とは思えないような動作が，実は発作波を伴う痙攣だったということが分かるなど，この分野は大きく転換しています．

仮死の児の管理

```
出生児の蘇生後 NICU 入室
            ↓
       呼吸状態の評価
        ↙        ↘
```

- （酸素投与下に）規則的な自発呼吸があり，チアノーゼ・努力呼吸を認めない場合
- 自発呼吸が不規則，あるいは酸素投与にもかかわらず，チアノーゼ・努力呼吸などを認める場合
  → 気管挿管下に人工呼吸管理を開始し，まず呼吸の安定を図る

- 循環動態の評価（心拍数・血圧は保たれているか？）
- 血液ガス分析，血糖，生化学，CBC，CRP，凝固系など血液検査
- 胸部 X 線撮影（MAS，エアリークなどの評価）

静脈ラインの確保（10％ブドウ糖 50〜70mL/kg/ 日）

- ガス分析データを参考に呼吸器の設定を調節する
- 代謝性アシドーシスがあれば，メイロン®で補正する
- 低血糖・低 Ca 血症があれば，それぞれ補正する
- 低血圧を伴う場合，アルブミン and/or イノバン®・ドブトレックス®投与を開始する

頭部エコーなどによる神経学的評価（脳浮腫・脳室内出血の有無，脳血流評価）
- 脳浮腫があれば，グリセオール®あるいはマンニゲン®の投与
- 脳室内出血があれば，凝固系のチェック，FFP など凝固因子の投与
- 中等度以上の仮死の場合，脳低温療法を開始する
- 痙攣を認める場合，抗痙攣薬の投与

心エコーにより心機能・肺高血圧の評価
- PPHN ならば，その治療（→p.133）
- イノバン®・ドブトレックス®の投与

腹部エコーにより臓器血流の評価

第10章

黄疸のある児を看護する

ここがポイント！

　新生児にとっての黄疸は，成人とはまったく違った意味を持っています．近年，黄疸に対する管理が向上し，典型的な核黄疸（ビリルビン脳症）を見る機会はほとんどなくなりましたが，そのリスクがあることは昔も今も変わりありません．ここでは，新生児に黄疸が発症しやすい理由と，新生児特有の黄疸の治療法について解説します．

新生児に黄疸が発生しやすい理由（生理的な場合と病的な場合）

　次の図は，新生児が黄疸をきたしやすい生理的要因と，それを助長しうる病的要因を示したものです．つまり，新生児を看護する場合，生理的に黄疸をきたしやすいので注意しなければならない上に，黄疸を助長しうる病的な要因を有する場合は，より注意深い観察が必要となるのです．

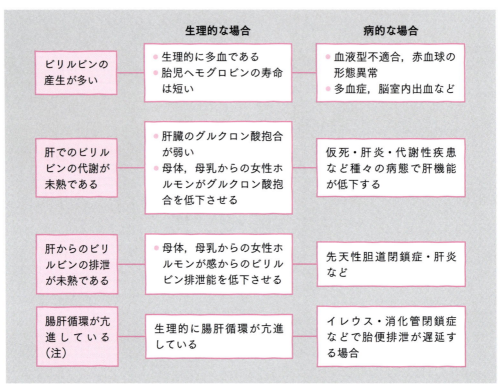

（注）胎児期には，腸管に分泌された直接ビリルビンは腸管粘膜で脱抱合され，間接ビリルビンとして血液中に戻り，胎盤を介して母体によって処理してもらっていました．成人では，この腸肝循環は抑制されますが，出生後しばらくは亢進した状態が続きます．なお，正期産新生児が1日に産生する間接ビリルビンの量は約20mgであり，胎便内に蓄えているビリルビン量は100〜200mgと言われています．このことからも，黄疸に占める胎便排泄の影響がいかに大きいか理解いただけると思います．

ビリルビン脳症（核黄疸）のリスクとなる病的黄疸の特徴

① 早発黄疸：生後24時間以内に生じる顕性黄疸（T-Bil ≧5mg/dL）．
② 血清ビリルビン値の急速な上昇：5mg/dL/日以上のT-Bilの上昇．
③ 高ビリルビン血症：出生体重・日齢によって危険域が異なるので注意が必要です．
　我々の施設では以下の基準を用い，光線療法・交換輸血の開始基準としています．

光線療法・交換輸血の適応基準

我々が使用している基準表を以下に載せます．

（1）光線療法適応基準表（都立母子保健院，1973）

本表では横軸が日齢を，縦軸が血清ビリルビン値を示しています．表の右に記した体重に応じて光線療法の適応基準が決定されますが，次の①〜⑧の因子（核黄疸危険度増強因子）のいずれかが存在する時には一段低い基準線を越えた場合に光線療法が考慮されます．

　①新生児溶血性疾患，②仮死，③アシドーシス（pH ≦7.25），④呼吸窮迫，
　⑤低体温（≦35.0度），⑥低蛋白血症（血漿蛋白≦5.0g/dL），⑦低血糖，⑧感染症

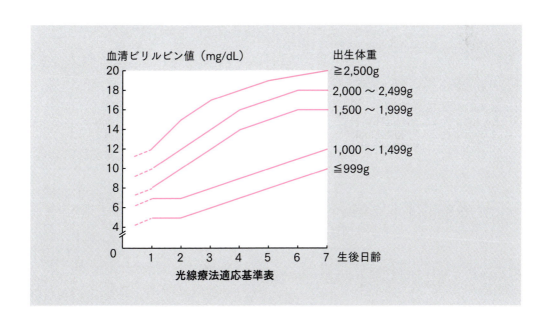

光線療法適応基準表

（2）光線療法・交換輸血の適応基準（神戸大学，1991）

光線療法・交換輸血の適応基準

出生体重（g）	～24時間		～48時間		～72時間		～96時間		～120時間		120時間～	
	PT	ET	PT	ET	PT	ET	PT	ET	PT	ET	PT	ET
～999	5	8	6	10	6	12	8	12	8	15	10	15
1,000～1,499	6	10	8	12	8	15	10	15	10	18	12	18
1,500～2,499	8	10	10	15	12	18	15	20	15	20	15	20
2,500～	10	12	12	18	15	20	18	22	18	25	18	25

数字は総ビリルビン濃度（mg/dL），PT…光線療法，ET…交換輸血

＊なお，これらの表では生後1週間以降の児に対する光線療法・交換輸血の指標はありません．

（3）早産児の黄疸管理

　これまでに記した黄疸管理方法の確立によって，正期産児のビリルビン脳症を見ることはほとんどなくなりました．しかし，在胎30週未満で出生した早産児の約0.2％がビリルビン脳症を発症しているとの報告があるように[1]，早産児においてビリルビン脳症は決して過去の疾患ではないのです．早産児ビリルビン脳症の発症予防には，急性期だけではなく，慢性期までの黄疸管理の重要性が指摘されています．

　ここでは，2016年に発表された神戸大学の新黄疸管理基準について紹介します．新基準の特色として以下の3点が挙げられます．
1）出生体重ではなく，在胎週数・修正週数に基づく基準となりました．
2）日齢7未満は在胎週数，日齢7以降は修正週数に従って，治療基準値が変わります．
3）週数ごとに，総ビリルビンだけでなく，アンバウンドビリルビンの基準値も設定されました．

　この新基準で管理することで早産児のビリルビン脳症が確実に予防できるのかはまだはっきりしませんが，検証していく必要があります．

早産児の黄疸管理の新基準

在胎週数または修正週数	TB値の基準（mg/dL）						UB値の基準（μg/dL）
	<24時間	<48時間	<72時間	<96時間	<120時間	≧120時間	
22〜25週	5/6/8	5/8/10	5/8/12	6/9/13	7/10/13	8/10/13	0.4/0.6/0.8
26〜27週	5/6/8	5/9/10	6/10/12	8/11/14	9/12/15	10/12/15	0.4/0.6/0.8
28〜29週	6/7/9	7/10/12	8/12/14	10/13/16	11/14/18	12/14/18	0.5/0.7/0.9
30〜31週	7/8/10	8/12/14	10/14/16	12/15/18	13/16/20	14/16/20	0.6/0.8/1.0
32〜34週	8/9/10	10/14/16	12/16/18	14/18/20	15/19/22	16/19/22	0.7/0.9/1.2
35週〜	10/11/12	12/16/18	14/18/20	16/20/22	17/22/25	18/22/25	0.8/1.0/1.5

脚注：表の数値はLowモード光線療法／Highモード光線療法／交換輸血の適応基準値である．
（森岡一朗，他．早産児の黄疸管理-新しい管理方法と治療基準の考案．日周産期・新生児会誌2017.53:1-9）

新生児の黄疸に対する治療

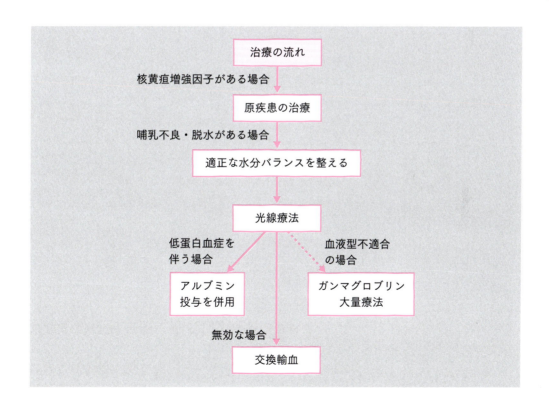

黄疸治療の流れをチャートで示しました．

一般療法としては，利尿・排便を保ち，ビリルビンが体外へ排泄されやすい環境を整えることが重要で，それでも光線療法の適応を超えるような高ビリルビン血症となる場合は，速やかに光線療法を開始することとなります．

なお，血液型不適合の場合は，保険適応はありませんが，ガンマグロブリン大量療法が有効であり，低蛋白血症を伴う場合はアルブミン製剤を経静脈的に投与することで，ビリルビン脳症（核黄疸）のリスクの軽減をはかることがあります．

（1）光線療法

比較的安全で，かつ有効なため一般に広く行われている治療法です．間接ビリルビンを光酸化により異性体に変化させ，水溶性とし，尿・胆汁への排泄を促すものです．この説明から明らかなように，直接ビリルビン高値例には適応外で，尿・便の排泄不良例には大きな効果が期待できません．これらの改善をともにはからねばならないのです．

● **光線療法中の看護のポイント**
① 体温の管理をまめに行うこと
② 不感蒸泄が増えるため，尿量が十分確保できるよう，水分バランスをきっちりと行うこと
③ 適宜，排便を促すこと
④ 光線からの目の保護に気を配ること
⑤ 光線療法開始後は皮膚色と血清ビリルビン値が相関しなくなるため，まめに血液検査でビリルビン値を測定すること

（注）光線療法では，主として皮下組織に存在する間接ビリルビンが減少するため，皮膚の黄染は血中ビリルビン濃度に比較すると軽度になります．皮膚の黄染が軽減したと思って安心していたのに，実際採血してみたら，意外にビリルビン値が高く慌てた！なんてことが起こりうるわけです．

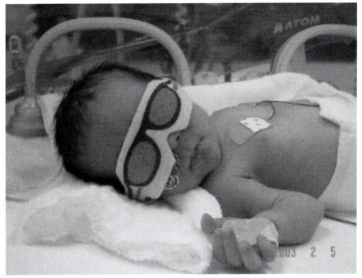

光線療法中,サングラスがかっこいいでしょ!?

(2) 交換輸血

循環血液量の約2倍量の血液を用いて,文字通り血液を交換する治療法で,効果は確実です.ただし,輸血に伴う感染症のリスクを伴うため,なるべく避けるのが望ましい治療法です.産科管理の向上により,Rh不適合による高ビリルビン血症は激減,交換輸血の必要性も大幅に減少しました.

参考文献
1) Morioka I, et al. Current incidence of clinical kernicterus in preterm infants in Japan. Pediatr Int 2015:57:494-497.

COLUMN 一酸化ヘモグロビン(COHb)と溶血性黄疸の関係

一酸化炭素中毒で増加するCOHbですが,これは溶血性貧血の際にも増えるのです.なぜなら,赤血球が分解される際,ヘムはヘムオキシゲナーゼによってビリルビン・CO(一酸化炭素)・Fe^{2+}を産生します.ここで産生されたCOはヘモグロビンと結合してCOHbとなるため,COHbはビリルビン産生量の指標となるのです.

このため,赤ちゃんの血液ガス分析を実施して,COHbが高値であれば,この子はそのうち黄疸が強くなる!と予測できるのです.

第 11 章

低血糖のリスクを有する児を看護する

ここがポイント！

　内分泌疾患を有する児の管理というと特別な疾患をイメージされるかもしれませんが，日頃よくみる病態であり，決して特殊なものではありません．NICUで扱う内分泌学的問題でもっとも身近な「低血糖」について考えてみましょう．

　低血糖をもたらす機序として，本項で取り上げる病態は大きく分けて2つあります．1つは胎児から新生児への過渡期に生じる内分泌学的調節機構の異常に伴う病態，もう1つは母体が糖尿病に罹患している場合に児に生じる問題点です．この2点について順に説明します．

第11章 低血糖のリスクを有する児を看護する

1 胎児から新生児への過渡期に生じる内分泌学的問題点

出生時の血糖調節機構

　胎児期は持続的にブドウ糖が供給されていたため,（母体が低血糖にならない限り）胎児が低血糖に陥る危険性はありませんでした．しかし,出生とともに臍帯が切断され,胎盤と切り離された新生児は,持続的な糖の供給が遮断されてしまいます．

　その上,出生後間もない児は経口的に哺乳するだけでは十分なエネルギーを摂取することはできません．しかし,多くの健常な正期産児はこの危機的状況を乗り越えることができるので,めったに低血糖に陥ることはありません．出生後このように低血糖に陥らないのは精巧な内分泌学的調節機構（p.175）が存在するためです．この中で最も重要なステップは,出生後血糖値が低下したことを感知し,インスリンの分泌が抑制されることです．

　インスリンが抑制されて初めて,グルカゴンの分泌に引き続きグリコーゲンの分解・糖新生・脂質の分解といったエネルギーの利用と血糖値を上昇させる反応が始まるのです．低血糖になってもインスリンの分泌が亢進した状態が続くと,グルコース・グリコーゲンが利用されないばかりか,アミノ酸（糖新生）・脂質の利用も生じず,生態は何のエネルギーも利用できない状態が続くことになります．このため,同じ低血糖でも,インスリン過剰症とその他の病態では後遺症の重症度が大きく異なります．

　よって,血糖調節機構に異常のある児は重篤な低血糖に陥ってしまう危険性があること,その中でもインスリン過剰症がとりわけ重要であることをよく理解しておかなければなりません．

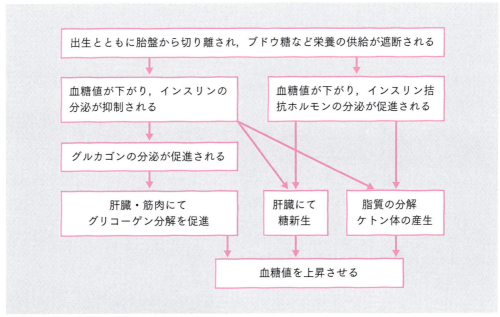

出生後のエネルギーの利用と血糖調節機構

低血糖症のハイリスク児

　上記の通り血糖の維持機構を示しましたが，そのいずれかのステップに異常がある場合，低血糖症に陥る危険性が高いということになり，以下の病態が存在します．

* グリコーゲンあるいは脂肪の蓄積が少ない場合
  （例）早産児・低出生体重児・子宮内発育不全児
* インスリンの分泌が過剰な場合
  （例）糖尿病母体児・持続性高インスリン血症・巨大児・胎児ジストレスの強かった児・新生児仮死・子宮内発育不全・SGA児など
* インスリン拮抗ホルモンの分泌不全症
  （例）成長ホルモン分泌不全症・副腎不全・顔面正中部など
* グリコーゲンの分解（利用）に障害のある病態
  （例）糖原病
* 脂質の利用が悪い病態
  （例）β酸化異常症
* エネルギーの消費が亢進した状態
  （例）呼吸障害・低体温・感染症など

低血糖の症状

①中枢神経系の障害：哺乳障害・活動性低下・筋緊張低下・無呼吸・嗜眠傾向・異常な啼泣・易刺激性・痙攣など
②交感神経系症状：皮膚蒼白・多汗・多呼吸・頻脈・チアノーゼなど
③そ　の　他：代謝性アシドーシスを代償する多呼吸など

　低血糖には一目見て低血糖とわかるような特異的な症状はありません．そこで，上記のような非特異的な症状から低血糖の存在を疑い，血糖値を測定してみることが重要です．

血糖のモニタリングおよび低血糖への介入のポイント

　出生後，血糖値は低下傾向をとり，生後1〜2時間に最低値をとります．しかし元気な正期産児では，たとえ哺乳が十分に行われなくても，その後，血糖値は上昇し，3時間以内には定常状態に達します．すなわち，p.175の図に示した血糖の調節機構の働きによって，多くの健常な正期産児はこの危機的状況を乗り越えることができ，低血糖症に陥ることはありません．

　一方，低血糖症のハイリスク児では，元気な正期産児のような血糖の上昇は期待できず，何らかの介入を要することが多くなってしまうのです．そこで，血糖のモニタリングおよび低血糖への介入のポイントは以下のようになります．

① **元気な正期産児で低血糖症状がなければ，原則ルーチンの血糖値の測定は不要である．**

　元気な正期産児であっても，生後1〜2時間に血糖値を測定すれば，50mg/dL以下の血糖値であることは少なくありません．これを見て，点滴・人工乳／糖水などの経口投与を開始するなんてことは行ってはならないのです！

② **低血糖のハイリスク児・低血糖を疑わせるような症状を呈している児は，血糖値の測定を怠ってはいけない．**

　繰り返しになりますが，血糖の維持機構に障害のある児では，積極的な介入を怠ると，取り返しのつかない低血糖による脳障害を招く危険性が高いのです．その上，

低血糖症に特異的な症状はないため，低血糖の存在を疑い，検査をすることがなにより重要なのです．

低血糖の治療

　意外に思われるかもしれませんが，これだけ有名な病態である「低血糖症」に明確な基準は存在しません．すなわち，血糖値がいくら以上であれば安全で，いくら以下ならば神経学的後遺症が残るといった線引きはできないのです．このことは血糖調節機構のところでも説明しましたが，同じ血糖値であっても，アミノ酸や脂肪をエネルギーとして利用できる状態（すなわち，インスリンがきちんと抑制されている状態）とすべてのエネルギーが利用できない状態（インスリン過剰症）とでは，同じ血糖値であってもその意義が大きく異なることを考えると理解しやすいと思います．

　よって，血糖値だけで治療の開始を考えるのではなく，低血糖のリスク因子の有無・低血糖を疑わせる臨床症状の有無といった要素を十分考慮に入れた上で，p.179に示すような治療を開始することが望まれます．

参考文献

Stanley CA, et al. Re-evaluating "transitional neonatal hypoglycemia": mechanism and implications for management. J Pediatr 2015; 166: 1520-1525.

COLUMN　出生後早期の低血糖症のほとんどは高インスリン血症による！？

　これまで，新生児はたとえ血糖値が低くても，低血糖時には脳はケトン体が利用できるから大丈夫，なんて話がありました．しかし，それは間違っているという考えが強まっています．生後早期に低血糖を呈する児のケトン体は通常極めて低値であり，またインスリンが高値であることが分かってきたのです．

　つまり，生後早期からケトン体が利用できるような児は低血糖に陥ることはなく，この時期に低血糖に陥ってしまうような児は，インスリン分泌が上手く抑制できない児だと考えられるのです．もちろん，このインスリンの調節障害はさほど長く続くことは稀ですので，数日間，ブドウ糖を補充するだけで改善することが多いのですが……

　少なくとも，新生児はたとえ血糖値が低くても，ケトン体が利用できるから大丈夫なんて甘いことを考えていたらダメなのです！！！

ただし，血糖値は出生後の時間経過で変動するため，一律の介入基準を定めることはできません．そこで，筆者が考えているハイリスク児の血糖チェックのポイントと，各時間における介入基準（案）を提示します．

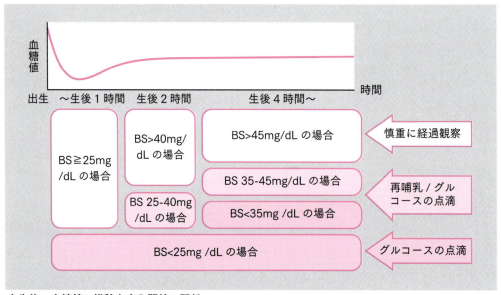

出生後の血糖値の推移と介入閾値の関係
上段に，低血糖リスクのない児の出生後の血糖値の推移を，下段に各時間帯における随時血糖の評価を記したものです．少し，介入のポイントのイメージがわかりやすくなったのではないでしょうか？
なお，重要な点は，この介入基準はあくまで「低血糖症状がない児」を対象としている点です．低血糖症状がある場合には，直ちに経静脈的にグルコースを投与すべきなのです．

```
┌─────────────┐
│   低血糖    │
└──────┬──────┘
       ▼
低血糖の程度が軽く，哺乳力があり，全身状態が良好であれば早期に授乳
させることで血糖の上昇が期待できることもある
       ▼
重度の低血糖であれば，静脈ラインを確保し，まず10％ブドウ糖液 2〜
4mL/kg を 1 分以上かけてゆっくり静注投与する．その後は 10％ブドウ
糖液での輸液を開始する
       ▼
ブドウ糖液投与後，血糖値をフォローし，10％ブドウ糖液の投与では血
糖が維持できない場合は，中心静脈ラインを確保し，糖の安定供給を図る
       ▼
糖新生・グリコーゲン分解・脂肪分解の促進を期待して，グルカゴンを投
与する（0.1mg/kg/回，筋注）
       ▼
高インスリン血症の場合はジアゾキサイド（2〜10mg/kg/日，経口），
無効な場合はサンドスタチン（2〜10g/kg/日，皮下注）の投与を考慮
する．なお，高インスリン血症の場合，保存的治療でコントロール不能
であれば，遺伝子検索や外科的治療の適応を考慮する
```

低血糖症治療の流れ

【注】ジアゾキシド使用時の注意点

　ジアゾキシドは，インスリン分泌の鍵となる膵臓のラ氏島に存在するK_{ATP}チャネルに作用することにより，インスリン分泌を抑制する薬剤です．わが国では2008年に認可されました．作用機序からも明らかなように，K_{ATP}チャネルに異常のあるような遺伝性の高インスリン血症では無効例も多いのですが，K_{ATP}チャネルに異常のない症例での有効性は極めて高い薬剤です．本薬剤の使用によって低血糖による脳障害が予防できるようになることは重要ですが，一方で，副作用に注意する必要があります．

　詳細な作用機序は不明ですが，ジアゾキシドは利尿を悪化させ，乏尿・浮腫をもたらす傾向があります．気づくのが遅れると，うっ血性心不全など重篤な合併症につながることがあるため，ジアゾキシド投与開始後は，水分バランス・体重・浮腫の有無などの観察を怠らないことが大切です．

また，これは重篤なものではありませんが，多くの児に多毛が見られます．事前によく説明しておかないと，親御さんの不安感が強くなることもあるため，注意が必要です．

（補足）遷延性インスリン過剰症と遺伝子異常

遺伝子異常というと難しく，臨床とは次元が違うと思いがちですが，高インスリン血症の遺伝子レベルでの違いは治療に直結するため，少し解説します．

高インスリン血症が出生後遷延する病態には以下の病態が存在します．

1 一過性のもの
- 糖尿病母体児
- 一過性持続性高インスリン血症：仮死あるいは子宮内発育不全に伴うもの
- 奇形症候群に伴うもの（Beckwith-Wiedemann症候群など）

2 持続性のもの（＝遺伝子異常による先天性高インスリン血性低血糖症）
- K_{ATP}チャネル異常症
- K_{ATP}チャネル以外の遺伝子異常によるもの

このうち，**2**のK_{ATP}チャネル異常症以外はすべて，ジアゾキシドがよく効くと考えられます．もっとも，糖尿病母体児の高インスリン血症は通常，生後数日以内に消失するため，ジアゾキシドの適応にはならず，主として生後1～2週間以上持続するような症例が適応となります．一方，**2**のK_{ATP}チャネル異常症の多くは，ジアゾキシドが効きにくいのです．このため，ジアゾキシド以外の薬物療法（ソマトスタチン・アナログやグルカゴン）での治療を試みたり，外科切除を考慮したりすることになります．

外科切除を行う場合には，インスリンを過剰に産生している細胞が局所性に造成しているのか，びまん性に広がっているのかによって大きく治療方針・予後が異なってきます．局所性であれば，膵臓の一部を切除することによって完治させることが可能ですが，びまん性であれば膵臓を亜全摘するほかありません．この場合，膵臓を残しすぎると低血糖が持続し，とりすぎると糖尿病を残すことになります．そこで，局所性かびまん性かを診断することが重要となりますが，その際，重要な情報が遺伝子にあるのです．

簡単に言うと，父親由来のK_{ATP}チャネルの遺伝子異常が子供に伝わって，インス

リン過剰を引き起こした場合にのみ局所性のインスリン過剰症の可能性があるということになります．つまり，母親由来の優性遺伝，あるいは，両親からの劣性遺伝という場合には局所性にはならないということです．

よって，ジアゾキシドが効きにくい場合にはK_{ATP}チャネル異常症の可能性があると考えてよいでしょう．K_{ATP}チャネル異常症の場合，父親由来の遺伝子異常が子供に引き継がれている場合は局所性腫瘍の可能性があり，外科切除が根本治療になるかもしれないということになるのです．

なお，局所性か否かを画像的に評価する方法にPET検査があります．しかし，わが国では施行可能な施設が極めて少なく，保険適応もありません．PET検査を行うのは遺伝子診断で局所性が強く疑われる症例に限られるのが現状です．

糖尿病母体児の管理

母体糖尿病が胎児に及ぼす影響は血糖コントロールの良否に大きく影響されます．このため，妊婦のHbA1cは厳しくコントロールされることが望まれます．イギリスのガイドラインではHbA1c 6.1％以下を目標とすることが明記されており，少なくとも6％台までに維持すべきとされています．

器官形成期である妊娠初期の血糖コントロールが悪い場合

以下の形態異常の頻度が高くなります．
① 中枢神経系：無脳症・脳瘤・脊髄髄膜瘤
② 骨格・脊髄：尾部形成不全症・二分脊椎
③ 心臓：大血管転位・心室中隔欠損症・心房中隔欠損症・単心室など
④ 腎臓：無形成・嚢胞腎・重複尿管
⑤ 消化器系：左側大腸低形成・鎖肛
⑥ 呼吸器系：肺低形成・呼吸窮迫症候群

妊娠後期の血糖コントロールが悪い場合

以下の問題があります．
① 巨大児：分娩外傷のリスク
② 低血糖：一過性高インスリン血性低血糖症
③ 低カルシウム血症
④ 多血症・高ビリルビン血症

とりわけ，低血糖に関して注意が必要ですが，早期からの頻回母乳摂取で乗り切れる症例も多いため，出生直後からの母乳育児の支援が重要です．しかし，経口哺

乳がうまくいかない場合，低血糖症状を認める場合，生後3時間を過ぎても低血糖が持続する症例では積極的な介入が必要となります．これをしっかり見極めて，低血糖症による後遺症が残らぬよう管理することが重要なのです．

参考文献

Anthony Williams, et al. Management of pregnancy complicated diabetes - Maternal glycemic control during pregnancy and neonatal management. 2010:86:269-273.
（＊この論文には糖尿病母体児に対する母乳育児支援の実際が書かれています）

妊娠糖尿病の定義

　2010年に妊娠糖尿病の診断基準が改訂されました．そのポイントは以下の2点です．なお，2015年にも改訂されましたが，診断基準に大きな変更はありません．

（1）従来の「妊娠糖尿病」には，妊娠前に発症した糖尿病が含まれていましたが，改訂後は「妊娠中に初めて発見または発症した糖尿病に至っていない糖代謝異常」と定義され，一般的な「糖尿病」とは区別されました．

（2）診断基準が改訂され，軽い高血糖妊婦にも治療を促すこととなりました．

妊娠糖尿病診断基準より抜粋

（日本産科婦人科学会，日本糖尿病学会，日本糖尿病・妊娠学会）

1）妊娠糖尿病 gestational diabetes mellitus（GDM）

75gOGTT において次の基準の1点以上を満たした場合に診断する．

①空腹時血糖値 ≧92mg/dL（5.1mmol/L）

②1時間値 ≧180mg/dL（10.0mmol/L）

③2時間値 ≧153mg/dL（8.5mmol/L）

2）妊娠中の明らかな糖尿病 overt diabetes in pregnancy

以下のいずれかを満たした場合に診断する．

①空腹時血糖値 ≧126mg/dL

② HbA1c 値 ≧6.5％

＊随時血糖値≧200mg/dL あるいは75gOGTT で2時間値≧200mg/dL の場合は，妊娠中の明らかな糖尿病の存在を念頭に置き，①または②の基準を満たすかどうか確認する．

> **3）糖尿病合併妊娠 pregestational diabetes mellitus**
> ① 妊娠前にすでに診断されている糖尿病
> ② 確実な糖尿病網膜症があるもの

> **以前の妊娠糖尿病診断基準より抜粋**
> 75g OGTTにおいて次の基準の2点以上を満たした場合に診断する
> ① 空腹時血糖値　≧100mg/dL
> ② 1時間値　≧180mg/dL
> ③ 2時間値　≧150mg/dL

　従来の妊娠糖尿病の診断基準と比べていただくとお分かりのように，従来は2項目が当てはまる場合にのみ妊娠糖尿病と診断されていましたが，改訂後は1つでも合致すれば妊娠糖尿病と診断されるようになっているのです．そして，明らかな糖尿病の診断基準と比べてもらえばお気づきのように，明らかな糖尿病とは，空腹時血糖値は34mg/dL，75g OGTTの2時間値は47mg/dLもの差があるのです．すなわち，非妊娠時であれば，耐糖能異常なしとされる人も，新基準では妊娠糖尿病と診断されるのです．この改訂によって，妊娠糖尿病と診断される妊婦の数は3〜4倍に増えたといわれます．リスクのある妊婦を広くスクリーニングし，早期から管理を徹底することで，周産期リスクを減らすだけでなく，将来の糖尿病人口を減らすことが目的とされているためなのです．

参考文献
日本糖尿病・妊娠学会と日本糖尿病学会との合同委員会．妊娠中の糖代謝異常と診断基準の統一化について．糖尿病 2015；58：801-803．

第 12 章

SGA児を看護する

ここがポイント！

　胎児発育不全（fetal growth restriction）あるいはSGA（small for gestational age）児の予後がAGA（appropriate for gestational age）児に比べて悪いというのは周知の事実です．SGA児には急性期にも種々の問題が生じる危険性が高いのですが，成長後も障害合併症のリスクがあるということが近年大きく取り上げられるようになってきました．
　ここでは，SGA児の持つ低身長症とメタボリックシンドロームのリスクを中心に，お話しします．

1　第12章 SGA児を看護する

SGA児の有する合併症

　SGA児が陥りやすい病態について，内分泌疾患を中心にまとめると以下のようになります．

1 新生児期
- 持続性高インスリン性低血糖症
- 一過性高血糖
- 一過性高TSH血症
- 男児の外性器異常（尿道下裂・矮小陰茎など）

2 幼児期〜思春期以降
- 肥満・2型糖尿病・高血圧・高脂血症（メタボリックシンドローム）
- SGA性低身長症
- 交感神経系・副腎皮質の亢進
- 甲状腺機能異常
- 腎障害
- 思春期早発症
- 統合失調症・うつ病などの精神疾患

　多くは，疫学的検討に基づくもので，その機序はまだ不明のものも多いのですが，看過できない問題と認識されるようになってきました．

2

第12章 SGA児を看護する

SGA性低身長症

定義

まずは，言葉の定義からです．

SGA（Small for gestational age）

日本小児科学会・日本産科婦人科学会による定義は「出生身長および体重が在胎週数相当の10パーセンタイル未満」である．

SGA性低身長症

SGAのうち暦年齢2歳までに－2SDスコア以上にキャッチアップしなかった場合，SGA性低身長症と呼ぶ．

(1) 低出生体重児・SGA児の増加

日本では1970年代をピークに出生数は漸減していますが，出生体重2,500g未満の低出生体重児が占める割合は増加傾向にあります．このため現在では，出生児の10人に1人が低出生体重児となっています．低出生体重児の増加には，早産児の救命率の上昇の関与もありますが，SGA児の増加が大きく関与していると言われているのです．

一方，近年，世界で注目されていることの1つに，日本人の出生体重の減少があります．日本人の出生体重は1970年代には3,190gあったのですが，2019年には3,005gまで減っているのです．これは先進国では極めて異例です．

その成因に関しては諸説ありますが，日本人女性のダイエット傾向が大きく関与しているという説もあります．

(2) SGA性低身長症の頻度

一般にSGA児の90％は3歳までにキャッチアップするが，3歳までにキャッチアッ

プしなかった児は生涯低身長にとどまる危険性が高いと言われています．しかしこれは，正期産児に限ったことであり，早産児ではキャッチアップ率はもっと悪く，在胎32週未満で生まれた子供のキャッチアップ率は75％に満たないとの報告もあります．

　すなわち，我々がNICUで診る機会の多い早産のSGA児は「SGA性低身長症」のリスクが極めて高い子供たちであると言えるのです．

(3) SGA性低身長症の診断と治療

　SGA性低身長症に対する成長ホルモン（GH）療法の保険認可が2008年に下りました．しかしGH療法は高額な医療費が必要となることもあって，その診断基準（保険診療適応基準）が細かく設定されていることに注意が必要です．診断基準の概要は以下の通りです．

❶ 出生時の基準：出生時の体重および身長がともに在胎週数相当の10パーセンタイル未満で，かつ出生時の体重または身長のどちらかが，在胎週数相当の－2SD未満である児．

❷ 診断時の基準：「出生時」の条件を満たし，かつ現在，次の3つの条件を満たす児．
- 暦年齢が3歳以上
- 身長SDスコアが－2.5SD未満
- 成長率SDスコア（治療開始前1年間の成長速度）が0SD未満

以上の基準を満たす子供がGH療法の適応となり，0.23～0.47mg/kg/週の治療が受けられることになるのです．

なお……

　GH療法には高額な医療費が必要であることは前述しました．保険診療であるため，地域によって格差は大きいのですが，乳幼児医療や高額医療費の助成を受けることができます．

3 DOHaD

第12章 SGA児を看護する

定義

　1980年代，Barkerが唱えた「子宮内での発育不全が，将来の2型糖尿病・高血圧・虚血性心疾患などのメタボリックシンドロームのリスクとなる」という考えが，数多くの疫学的検討で検証され，多くの研究が加えられたことから，「子宮内および乳児期の栄養がメタボリックシンドロームのリスクとなる」というDevelopmental Origins of Health and Disease（DOHaD）という概念に広がり，今日に至っています．

子宮内発育不全児がメタボリックシンドロームになる機序

　一般に信じられているのが以下の機序です．
- ＊子宮内での低栄養に適応することによって，過酷な環境下でも生きのびる個体があります．
- ＊出生後，急にエネルギー供給が増え，栄養の過剰な状態にさらされます．
- ＊過剰栄養のもとで肥満に陥り，インスリン抵抗性を獲得していきます．
- ＊すなわち，メタボリックシンドロームに陥ってしまうのです．

子宮内発育不全を伴わない低出生体重児（AGAの早産児）のメタボリックシンドロームのリスクは？

　前述のメタボリックシンドロームになる機序では，AGAの早産児がメタボリックシンドロームになる機序を説明することはできません．しかし，いくつかの報告によると，AGAの早産児もメタボリックシンドロームのリスクは高いということです．そこで，これを説明するために，出生後の影響の関与が考えられています．
　つまり，早産児は出生後の体重減少が大きく，生下時体重に戻るのも遅い傾向が

あり，在胎週数の短い児ほどその傾向が強いということは疑いようがありません．この出生後の栄養不足状態の時期が子宮内での栄養不足同様，長期にわたる健康のリスクとなるという考えです．加えて，超早産児では，子宮外発育不全（EUGR：Extrauterine Growth Restriction）と呼ばれる状態が続くことがあり，このリスクを著しく高める危険性があるのではという考えがあります．Early aggressive nutritionで子宮内発育不全を回避することは，メタボリックシンドロームの予防という意味でも重要なのかもしれません．一方で，生後早期の栄養（とりわけ高蛋白）がメタボリックシンドロームのリスクを増大させるとの意見もあり，結論は出ていません．

メタボリックシンドロームを防ぐには

　低出生体重児・SGA児がメタボリックシンドロームのハイリスク児であるという概念が一般化してきました．ではどうすれば，そのリスクを軽減することができるか？に対する明確な答えはありません．

　現在，考えられていることをいくつか列記すると……

①出生後早期の過剰栄養はメタボリックシンドロームのリスクを高めるため，栄養が過剰にならないようにしましょう．とりわけ，人工乳の過剰投与はよくない可能性が高いため，母乳育児を支援することが重要です．

②出生後〜乳児期の低栄養もメタボリックシンドロームにはよくない可能性が高いため，適切な栄養を心がけることが重要です．

③1〜2歳まで痩せが持続している子はメタボリックシンドロームのリスクが高く，痩せているからと言って，糖質・炭水化物中心の食事にならないよう注意した方がよいでしょう．1〜2歳まで痩せが持続している子は後述するAdiposity reboundの時期が早く，メタボリックシンドロームになりやすいとの意見があるのです．

④なんと言っても，胎児発育不全を減らすことが重要であり，妊婦さんの適度な体重増加・適切な栄養指導も重要です．

> **COLUMN**　Adiposity rebound

　BMI（Body Mass Index）という指標があります．これはBMI＝体重（kg）／身長（m）^{2}で表される指標です．BMIの推移を年齢に沿って見てみると，出生時から乳児期にかけて急速に増大し，その後，急速に低下します．そして，幼児期は低値をとり，5〜6歳頃から再び上昇に転じます．この上昇に転じる点はAdiposity reboundと呼ばれ，この時期が重要意義を有するとされています．

　すなわち，Adiposity reboundが早い年齢でくる児は肥満になりやすく，Ⅱ型糖尿病などの発症のリスクが高いとされているのです．

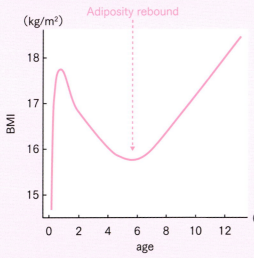

BMIは乳児期状に上昇し，その後，低下．幼児期後半（5〜6歳）頃，再上昇する．この再上昇のポイントをAdiposity reboundと呼ぶ

BMIとAdiposity rebound

第13章

極低出生体重児を看護する

ここがポイント！

　極低出生体重児と呼ばれる"小さな命"を守り，"インタクト・サバイバル（後遺症なき生存）"を獲得するには，繊細な心遣いとこれまで学んできた看護の基本のすべてが要求されます．そこで，ここまでお話してきたことのまとめも兼ねて，極低出生体重児の看護について解説します．なお，極低出生体重児に限らず，NICUへの入院を要するような児には，本章で記載することは広く通用することも多いので，そのつもりで勉強してください．

1 出生時〜搬送のポイント

第13章 極低出生体重児を看護する

　出生時の蘇生の手技に関しては，極低出生体重児とそれ以上の体重の児とで特別大きな違いはありませんが，注意しておくべき相違点がいくつかあります．ここでは，それを解説します．

① 極低出生体重児の場合（もちろん在胎週数などにもよりますが），
- RDS（呼吸窮迫症候群）のリスクが高い・無呼吸発作の頻度が高い・呼吸筋が脆弱であるなど呼吸管理を要するリスクが高い．
- 脳血流の変化・頭蓋内圧の変化などが脳室内出血・脳室周囲白質軟化症など取り返しのつかない重篤な合併症に直結する危険性がある．

　以上の2点から，気管挿管・人工呼吸管理の適応は広くする必要があります．

② 極低出生体重児の場合，筋緊張が弱く，アプガースコアは低めに出る傾向があるため，必ずしも低スコアが予後不良と直結するわけではありません．

③ 皮膚が脆弱な上に相対的に体表面積が大きく，体温低下をきたしやすいため，積極的な保温策を講じる必要があります．

④ 新生児一般に言えることですが，とりわけ極低出生体重児では，気道の閉塞は無呼吸・換気不全を招き，換気不全は循環不全に直結します．そのため，出生直後〜搬送中の体位・分泌物などによる気道の閉塞には十分注意し，心拍・酸素飽和度などが良い状態で搬送することが重要です．

【補足】かつては，院外出生の極低出生体重児の搬送入院なんてことも珍しくありませんでしたが，周産期システムの整備によって，そのような事例はほとんどなくなりました．これが，極低出生体重児の治療成績の向上に大きく寄与していることは間違いありません．

2 入院時のポイント

第13章 極低出生体重児を看護する

　入院時の注意点は第1章で述べたことと，ほとんど変わりはありません．重ねて強調するとすれば……体温管理がとりわけ重要なこと，医師・看護師の行う処置はすべて児にとってはストレスなのだという認識を持つことくらいでしょう．なるべく早く，すべての処置を効率よく終えて，保育器に収容して，後は安静に過ごせるよう体位を整えてあげることが重要です．

3 呼吸管理のポイント

第13章 極低出生体重児を看護する

　出生時のポイントでも述べましたが，極低出生体重児の場合，RDSのリスクが高い・無呼吸発作の頻度が高い・呼吸筋が脆弱であるなど呼吸管理を要するリスクが高くなります．また，脳血流の変化・頭蓋内圧の変化などが脳室内出血・脳室周囲白質軟化症など取り返しのつかない重篤な合併症に直結する危険性があります．以上2点から，気管挿管・人工呼吸管理の適応は広くする必要があります．常に，気管挿管するまでは，「人工呼吸管理は本当に必要ないのか？」を問い直してみましょう．

　在胎32週以下の児の"気管挿管～人工呼吸管理の適応"は以下の通りです．
① 出生時仮死を認める児．
② 頻発する，あるいは1回でもバギングを要するような大きな無呼吸発作を起こす児．
③ 呼吸障害を呈する児，具体的には$SpO_2>90\%$を保つのに$F_IO_2>0.5$が必要あるいは高炭酸ガス血症（$PaCO_2>55mmHg$）が持続するなどが気管挿管の目安とされています．酸素投与にもかかわらず努力呼吸が持続する場合は，血液ガスの採取などは後にして，まず，人工呼吸管理を行うべきです．

呼吸窮迫症候群（RDS：respiratory distress syndrome）

　極低出生体重児の管理において，RDSの管理は第1の関門です．しかし，これは感染・循環器系の異常など他の問題が重篤でなく，行うべきことをきっちりとこなせば必ずクリアできる問題です．

（1）RDSの診断・サーファクタントの投与基準について

　努力呼吸を認める場合は必ず胸部X線を撮ることになりますが，その際Bomsel分類の何度に相当するかの評価を行います．努力呼吸が強い児で，Bomsel分類でⅡ度

以上の所見があれば，直ちにサーファクタント投与を行って差し支えないでしょう．

ただし，児の状態に余裕がある場合，サーファクタント投与の是非に考慮の余地がある場合は，以下のような場合にサーファクタントの投与を行います．

① 胃液マイクロバブルテストで小さな気泡の形成が悪い場合．
② 動脈ガス分析を行い，ventilatory index（VI ＝ F_IO_2 × MAP/PaO_2）≧0.030の場合．
③ 努力呼吸が持続する場合，30分～2時間後くらいに再度X線を再検し，RDS像の増悪がある場合．

（2）サーファクタント投与の実際

① **溶解方法**：体重1kgあたり，サーファクテン® 1V（120mg）を生食4mLで溶解します．溶解前にバイアルを振って，固まりを粉にしてから生食を加えると溶けやすくなります．生食で溶解する時は泡立てないように注意し，溶解後，27G針を通して，塊をつぶします．

② **投与方法**：気管挿管チューブが深く挿入されて片肺挿管になっていると，換気不均等～気胸／無気肺の原因になります．そのため聴診器で両肺野のエア入りを確認するとともに，できれば，胸部X線でチューブ位置を確認してからサーファクタントの投与を行います．

注入に際しては一人が清潔になり，5mLのディスポシリンジに溶解したサーファクテン®を吸い取り，4Frの栄養チューブを用い清潔操作で気管内に分割注入していきます．

バギングはPEEPをかけながら換気できるよう，ジャクソン・リース式で酸素投与下に，ゆっくり加圧しながら行います．サーファクタントは仰臥位，右側臥位（頭部挙上，臀部挙上），左側臥位（頭部挙上，臀部挙上）の5方向で気管内投与を行います．ただし，在胎25週未満児や入院時状態の悪い児の場合は仰臥位，右側臥位，左側臥位の3方向で投与します．確実に体位変換を行いながら，3～5方向に投与し，全肺野に均等になるようにする必要があります．また脳室内出血などのリスクの高い時期であり，常に"優しい処置"を心がけなければなりません．

(3) サーファクタント投与後のポイント

サーファクタントが有効な場合，肺胞が急速に開き，以下のような変化が起こります．

① 肺でのガス交換が著明に改善するため，急激な血液中の酸素分圧の上昇・二酸化炭素分圧の低下が生じます．このため，人工呼吸器の設定を適切に下げていかなければ，酸素毒性による未熟児網膜症の発症や，低CO_2血症によるPVLの発症を招く危険性があります．

② 肺での酸素化が急激に改善しますが，この時，平均気道内圧を急に下げすぎると，肺の血管抵抗が急速に低下し，動脈管を介するLRシャントのために肺血流が急速に増加してしまいます．すなわち，症候性PDAを招き，「肺出血」「脳室内出血」など重篤な病態を招きうるのです．そこで，人工呼吸器の設定を下げる場合，気道内圧を急速に下げすぎないことが重要です．

③ 通常，サーファクタントの効果を確実にするよう，投与後6時間は気管内吸引を行わないことを原則としていますが，分泌物が多くCO_2が貯留する・低O_2血症が持続するなどの場合は，早めの吸引もやむを得ません．サーファクタント投与後1時間は吸引しなければ，それ以降は吸引してもよいという報告もあり，厳密に6時間にこだわる必要はありません．

慢性肺疾患（CLD：chronic lung disease）

CLDは「生後28日を越えて，あるいは修正在胎36週時に酸素投与を必要とする病態」であり，極低出生体重児に特異的といってもよい病態です．感染・人工呼吸管理による損傷など原因は1つではありません．

［予防・治療］
① 肺に優しい呼吸管理
　過度な設定にならないようにする（PaO_2は94～96％程度，$PaCO_2$は45～60mmHg程度を目標にする），不必要なバギングや吸引は避ける．
② 水分制限と利尿薬投与
③ 低蛋白血症の改善
　肺の浮腫を助長するような低蛋白血症は積極的に治療する．

④ステロイド療法

　副腎皮質ホルモンの静注が短期的にはCLDに著効を示すことは種々の報告から明らかですが，生後早期の早産児に対するステロイドの静注投与は神経学的な後遺症に繋がるとの報告がなされ，なるべく避ける方向にあります．

　一方で，ステロイド（とりわけデキサメタゾン）の使用を差し控えるあまり，CLDが重症化しているとの報告もあります．ステロイドによる副作用も気にはなりますが，重症CLDの発達予後は極めて悪いため，状況によってはステロイドを使用してでもCLDの進展を防ぐ必要があると考えます．

silent aspiration

　胃内へ投与した母乳・人工乳が食道へ逆流し気管に吸引されるという病態は，気管挿管中の早産児の多く（80%との報告もある）に見られるもので，決して稀なことではありません．人工呼吸器下にそれまで順調に経過していた極低出生体重児が，母乳・人工乳増量とともに呼吸状態の悪化を呈した場合，（感染・呼吸管理に伴う他の合併症を除外した上で）まず考えるべき状態です．

（1）silent aspirationを疑うべきポイント

①経腸栄養開始後，特に増量後の呼吸状態の悪化．
②日毎に寛解・増悪を繰り返す胸部X線像（絶食にすると速やかに改善するため）．
③胸部X線の変化に比較して，CRPなどの炎症反応の上昇は軽微なことが多い．

　以上の所見から疑い，気管からミルク様の吸引物が引けることなどで確定診断します．

（2）治療法

　授乳時間を長くする（1回の授乳時間を2時間とする），腹臥位にするなどの治療を試みても症状が改善しない場合には，栄養チューブを十二指腸チューブ（EDチューブ）に変更することがあります．EDチューブの使用に関しては，ほぼルーチンに使用する施設からほとんど使用しない施設まで，施設間格差が大きいようです．

EDチューブ挿入のポイント

① 我々の施設では，極低出生体重児の場合，5または6.5Frのチューブを使用しています．何グラムの児から挿入可能かなどはっきりしたことはわかりませんが，500g位の児であれば，十分挿入可能です（鼻の穴を通過できるかどうかが問題になりますが，どうしても無理な時は口から挿入すれば，その問題は解決できます）．

② チューブの長さは胃チューブの長さに数センチ加えたものです．

③ 鼻腔を通過する時や咽頭部を通過する時に抵抗を感じるので，あらかじめキシロカインゼリー®を先端に塗布しておきます．なお，抵抗を感じた場合には決して無理をしないことが重要です．

④ チューブ先端が胃内に入ってきたら，腹壁を介して左季肋部付近に触知するので，それを右側に誘導し，さらに推し進めます．ここまで挿入できたら，ガイドワイヤーを抜き，腹部X線で先端位置を確認します．

⑤ うまく誘導すればここまでの処置で一気に幽門を越え，十二指腸に入ります．うまく入らない場合，すなわち，胃内に位置している場合は，胃内で適当なたるみを持った状態となるようチューブの長さを調節した後，右側臥位にしておけば，翌日には児の蠕動運動によって十二指腸まで進むことがあります．

⑥ EDチューブにまつわる合併症は，チューブの閉塞以外は経験していませんが，文献的には不適切な挿入手技による穿孔，小腸への過挿入による低血糖（ダンピング），白色便などが報告されています．過挿入を避けるため，定期的にX線で先端位置を確認することも重要です．

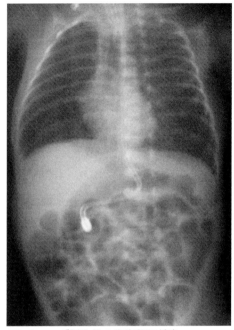

EDチューブ挿入後の胸腹部X線象

第13章 極低出生体重児を看護する

4 循環管理のポイント

　循環管理の基本は極低出生体重児もそれ以外の児も大きくは変わりません（第7章を参照）が，以下のような点に気を配る必要があります．

① 血圧の変動が脳室内出血や脳室周囲白質軟化症（PVL）などの重篤な合併症を引き起こすリスクが高い．

② 心筋収縮力の予備能が小さく，末梢血管平滑筋のトーヌスも低下しやすいため，低血圧に陥りやすい．

③ 未熟な児の場合，末梢血管の透過性が亢進していることや，低蛋白血症のために，血漿成分が血管外へ漏出し，その結果，血管内脱水に陥ることが多い．

④ 動脈管開存症が症候性となりやすい．

⑤ 元々腎機能が未熟なため，低血圧などの二次的な要因により，容易に尿量減少をきたしやすい．

栄養管理のポイント

第13章 極低出生体重児を看護する 5

　極低出生体重児においても，栄養に関する基本的な考え方は2章・3章で述べてきたことと変わりませんが，いくつか補足します．

低出生体重児用粉ミルクと母乳強化剤

　母乳と強化母乳・低出生体重児用粉ミルク・成熟児用粉ミルクの成分の一部を載せました．＊は母乳と異なること，＊＊は一般の粉ミルクと異なることを示しています．

成分比較表（100mLあたり）

		母乳	母乳＋母乳強化剤	低出生体重児用粉ミルク	粉ミルク
カロリー	kcal	65	78＊	82＊＊	67
蛋白質	g	1.1	1.8＊	2＊＊	1.52
脂質	g	3.5	3.5＊	4.4＊＊	3.5
カルシウム	mg	27	87＊	81＊＊	27
リン	mg	14	47＊	40＊＊	14
カリウム	mg	48	67＊	74＊＊	48
ナトリウム	mg	15	24＊	32＊＊	15

　母乳強化剤はカロリー・蛋白質・電解質は強化してあるものの脂質は含んでないこと，低出生体重児用粉ミルクは脂質も含めてこれらの成分を増強してあることを知っておいてください．ビタミンに関しては，母乳に比べて人工乳がビタミンKを多く含んでいることは皆さんご存知のことと思います．

　なお，早産児骨減少症の原因の多くは〝リンあるいはビタミンDの不足〟によるものなので，強化母乳か低出生体重児用粉乳を投与することで，リン不足の多くは治療できます．一方，低出生体重児用粉乳のビタミンD含有量はメーカーによって

大きく異なるので注意が必要です．ビタミンDがあまり強化されていない人工乳を使用している施設ではBady D®などでビタミンDの補充を要することが多くなります．

プロバイオティクス

　プロバイオティクス（probiotics）とは，抗生物質（antibiotics）と対比させて用いられるようになった生物間の共生関係（probiosis）に由来する新しい用語で，宿主の腸内細菌叢の調整によって宿主に有益な影響を及ぼす微生物あるいはその活性物質（乳酸菌やビフィズス菌など生菌製剤）のことです．

　すなわち，ビフィズス菌などの投与がTGF-βの産生をはじめとする免疫学的発達を介して感染などの作用を有するのでは，と考えられているのです．日本では，森永やヤクルトがビフィズス菌製剤を製造していますが，残念ながら未だ医薬品としては認可されていません．海外では，ビフィズス菌の投与が有効との報告が多々あり，今後に期待される栄養法の1つでしょう．

MCTオイル

　MCTとはmedium chain triglycerideのことで，中鎖脂肪酸とグリセリンで構成されたトリグリセリドであり，自然には存在しません．

　その長所は，膵リパーゼによる加水分解を容易に受け，胆汁酸が存在しなくても吸収されること．および，吸収されたMCTはリンパを介さず，直接門脈系へ入るため，肝細胞内に取り込まれるときにカルニチンを必要とせず，容易に酸化，吸収され利用速度が速いことです．

　脂質のカロリーは糖質などよりも高いために，CLD（慢性肺疾患）を有する場合など，カロリーは十分に与えたいが，投与水分量を抑制する必要がある場合に有効な栄養源となりえます．ただし，脂肪過剰にならないような注意が必要です．

極低出生体重児のGE（グリセリン浣腸）

〜これに関する記載は，教科書などで見たことがないので，以下は私見です〜

まず，GEのメリット（目的）は，腸管の蠕動を促し，経管栄養を促すことといってよいと思いますが，そのデメリット（副作用）があるとすれば，

① 過度の腸管に対する刺激が児のいきみを引き起こし脳室内出血などのリスクを高める
② 低酸素血症・腸管血流の低下などによって動きの悪い腸管を無理に刺激し，負荷をかけることになる
③ GEによる大量の排便によって電解質異常・脱水・循環虚脱などをきたしうるということになると思います．

もちろん症例によって多少異なりますが，これらのメリット・デメリットを考えるとその適応の原則は以下のようになるでしょう．

① **日齢0〜1**：呼吸・循環などが不安定であれば，積極的に腸管を動かす時期ではありません．むしろ，minimal handlingを心がける時期です．
② **日齢2〜3以降**：超急性期を過ぎて，呼吸・循環など全身状態が良好であれば，積極的に栄養を進めたいので，腸管の動きが良くない場合はGEで刺激することも妥当と思われます．また，上部腸管の拡張など胎便栓症候群が疑われる症例では積極的なGEは治療にもなります．GE・ブジーでは軽快しない胎便栓症候群に対しては，ガストログラフィンの注腸造影が診断的治療として有効です．

ガストログラフィンの注腸造影

胎便栓の診断的治療としてのガストロフィンの注腸造影の方法を記載します．

（1）方法

① ガストログラフィンに蒸留水を加え，4倍希釈液を20mL作成し，37度程度に温めておきます．
② 肛門から8〜10Frのネラトン・カテーテルを2〜3cm挿入し，肛門からの液漏れを防ぐように指で押さえながら，ガストログラフィン希釈液を注入してゆきます．
③ 注入直後に腹部X線を撮影し，効果を判定します．

以上が一般的な方法ですが，注意点をあげると次のようになります．

（2）注意点

① ガストログラフィンは高張で，6倍希釈液が等張です．胎便栓の治療以外の目的で同造影剤を使用するときには6倍に希釈して用いるのが原則です．ただし，胎便栓の治療の場合，腸管の水を引き出しその浮腫を取るとともに，便をやわらかく浸軟させ排泄を促進するという目的があるため，多少濃い溶液（4～5倍希釈程度）を用いるのです．

② 肛門からネラトン・カテーテルを挿入する際には，穿孔の危険性があるため，決して無理をしてはいけません．

③ 圧をかけながら造影剤を注入する場合，穿孔の危険性を伴います．しかし，多少とも圧をかけなければ，ほとんどの液が肛門からもれ出てしまい，効果が得られません．通常，私は，最初に10mL程度の造影剤注入を行い，どの程度の腸管まで造影剤が届いたかを見て，次回以降の投与量を決めるようにしています．

　私自身は，ガストログラフィン注腸に伴うトラブルは経験がありませんが，やはり穿孔例をしばしば耳にします．そのため十分な注意と事前の説明が重要です．

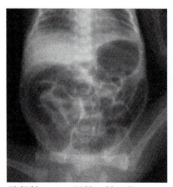

胎便栓による腸管の拡張像

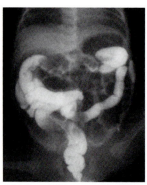

ガストログラフィン注腸施行時，胎便による欠損像を認めます

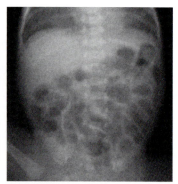

注腸造影翌日，腸管の拡張像は消失しました

【補足】ガストログラフィンの経口投与が有効との報告も少なくありませんが，誤嚥・穿孔などのリスクを考え，京都大学では行っていません．

早期授乳（minimal enteral nutrition）

　経腸栄養の開始に際して留意すべき事柄（p.42）では，呼吸・消化機能などが安定するまで経腸栄養は見合わせる必要がある，と記しました．しかし，そんなことを言っていたら，極低出生体重児の場合，いつまでたっても経腸栄養を始めることができません．そこで，重要な概念に早期授乳があります．これは，超早産児でも，生後まもなくから経口哺乳を開始する（というよりは，母乳を口腔内に塗布する）というものです．

　経口的に投与する母乳の量は決して栄養学的に意味がある量ではありませんが，以下のようなメリットがあるとされています．
　①順調な経腸栄養の進行をうながし，完全経口栄養の早期確立に役立つ
　②経静脈栄養期間を短縮させる
　③体重増加を改善する
　④生理的黄疸を軽減させる
　⑤胆汁うっ滞性黄疸を軽減させる
　⑥腸管粘膜の成長，刷子縁の防御機能の早期成熟を促す
　⑦消化管ホルモンを増加させる
　⑧消化酵素の合成・放出を促進する
　⑨小腸の運動パターンの成熟（胃前庭〜十二指腸の蠕動運動，協調の改善）を促す
　⑩壊死性腸炎発症率に有意な増加は認めない

　もちろん，吸啜・嚥下などの機能が十分に備わっていない超早産児に行うことになるため，十分な注意は欠かせません．しかし，たとえ超早産児であっても，通常自分の唾液などはちゃんと嚥下できているため，理論的にも口腔内塗布程度の少量の母乳投与は，安全に行えるはずと考えられます．

　そして，腸の動きが良くなり消化機能が高まってきたら，速やかに，かつ慎重に経腸栄養を増やしていくことが望ましいでしょう．

6 電解質管理のポイント

第13章 極低出生体重児を看護する

高K血症

　高K血症の一般的な事項は第5章で述べましたが，通常NICUで治療を要する高K血症をみるのは以下の場合です．
　①極低出生体重児の生後数日以内
　②急性腎不全
　③多臓器不全による組織の崩壊
　④溶血，とりわけ輸血の際の溶血

　このなかでも，極低出生体重児の生後数日以内は最も頻度も高く，重要性の高いものです．とりわけ生後2〜3日以内は呼吸・循環が不安定で腎血流が十分保てず，腎機能も未熟であるため十分な尿量が確保できないことは珍しくありません．さらに，生後数日は十分な栄養も投与できないので異化に傾きやすく，また溶血（生理的な赤血球の崩壊）も生じやすいためKの負荷が多くなります．
　もちろん輸液はKフリーで行いますが，重篤な高K血症をきたすことがしばしばあります．その場合，前述の〝グルコース・インスリン療法（GI療法）〟などを行い，頻回に血糖と血清Kをチェックしつつ，尿量を確保することとなります．

高Na血症

　極低出生体重児では，生後早期に高Na血症を呈することがしばしばあります．理由としては，生後早期は不感蒸泄が多い上にNa利尿に乏しく，少量のメイロン補正や動脈ラインからの生食投与のみでもNa過剰となりうるためです．とりわけ，動脈ラインからのNa負荷には注意が必要です．
　例えば，700gの超低出生体重児の場合，1日の輸液量は60mL/kgとすると42mL,

すなわち1.7mL/時となります．このうち，動脈ラインの輸液量を0.2mL/時に設定しておくとして，動脈ラインから採血後0.2mLの生食でフラッシュすると，1時間分の生食が1回の採血ごとに投与されてしまうのです．

もし生後数時間，児の状態が変化し，採血の回数が多く，1時間に3回程度採血したとすると，1時間当たり0.8mLの生食を投与することとなり，全体の輸液（輸液量1.7mL＋生食0.8mL）で考えても，50mEq/LのNaを投与していることになるのです．維持輸液のNa濃度が30〜35mEq/Lであることを思い出していただければ，このNa量は決して少なくないことがお分かりいただけると思います．生食のフラッシュなども電解質に影響を与える因子となりうることを記憶しておいてください．

低Na血症

低Na血症をきたす病態については前述しましたが，ここでは，亜急性期以降の極低出生体重児の多くが「輸液にNaClを加える，あるいはNaClを経口投与する必要がある」ということの意味を考えてみましょう．

輸液管理している場合，維持輸液のNa濃度は35mEq/Lですので，これを100mL/kg/日で投与すると，3.5mEq/kg/日のNaが投与されることになります．一方，母乳のNaは15mg/dL（6.5mEq/L），人工乳では20mg/dL（8.7mEq/L），低出生体重児用ミルクでは30mg/dL強（14mEq/L）程度とされているため，これを150mL/kg/日で投与するとしても，それぞれ1mEq/kg/日，1.3mEq/kg/日，2mEq/kg/日のNaしか投与されないことになります．

通常，Na必要量は2〜3mEq/日とされていますが，極低出生体重児などではNa保持機能が弱いため，これよりも多くの投与を必要とします（p.71参照）．また，CLDなどを合併する症例などでは利尿薬の投与を要することも多く，Naを投与しないと，容易にNa不足に陥るのです．

7 脳室内出血・脳室周囲白質軟化症などの予防のポイント

第13章 極低出生体重児を看護する

　我々NICUで働く者すべての共通の目的は，いかに〝インタクト・サバイバル（後遺症なき生存）〟を勝ち取るかに集約されます．そのために最も重要なことは脳室内出血・脳室周囲白質軟化症など中枢神経系の障害を予防することです．

　以下に記載するように，ポイントは〝いかに脳血流を安定に保つか〟です．そのために「呼吸・循環の安定」と「児にストレスをかけない管理」を心がけることになります．

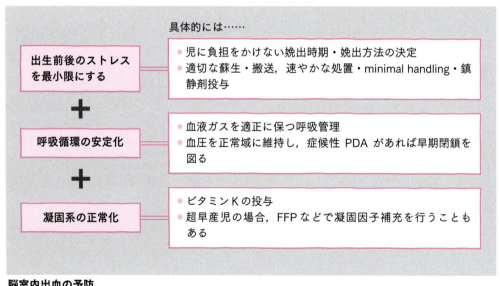

脳室内出血の予防

胎児期の脳血流減少・感染を避ける	具体的には……
	● 生存可能な週数に達し，胎児仮死・子宮内感染・子宮内体重増加の停止・TTTS などの兆候がみられたら，時期を逸さず娩出する

＋

出生前後の脳血流減少を避ける	
	● 児にストレスをかけない娩出方法の選択・適切な蘇生 など

＋

呼吸循環の安定化	
	● 血液ガスを適正に保つ呼吸管理（特に $PaCO_2$ を 30mmHg 以上に保つことは重要），自発呼吸が強く，呼吸管理に抵抗する場合は鎮静をかけることもある ● 血圧を正常域に維持し，症候性 PDA があれば早期閉鎖を図る ● 徐脈を伴う無呼吸発作は，速やかに原因検索の上，治療開始する

脳室周囲白質軟化症の予防

8 未熟児網膜症

第13章 極低出生体重児を看護する

危険因子

現在考えられている未熟児網膜症の危険因子としては以下のものが挙げられます．

① **在胎週数**（報告によって多少のばらつきがあるが，28週未満に多発しており，32週以降は稀）
② **過剰酸素投与，高酸素血症**による網膜血管の収縮およびその後の異常血管の増殖
③ **低酸素血症，低血圧**などによる網膜血管の酸素不足
④ **無呼吸発作，動脈管開存症**による網膜血管の酸素不足あるいは変動
⑤ **過剰な水分投与**による網膜血管の水分過多（血管の怒張）
⑥ 輸血・交換輸血・エリスロポエチン（？）
⑦ 敗血症（？）
⑧ 明るい照明（？）など

上記の危険因子の多くは必ずしもエビデンスとして確立していないのですが，避けられる危険因子は避ける努力を惜しまないことが重要です．

具体的には，SpO_2 90～98％を保ち，血圧を安定に維持する呼吸・循環管理が重要で，急性期には80mL/kg/日，亜急性期でも哺乳量が120～140mL以上とならないような水分管理が望まれます．

眼底検査と治療

眼底検査の対象は，在胎35週未満（とりわけ30週以下），高濃度酸素投与・人工呼吸管理の既往のある児，その他，奇形症候群を有する児などです．京大病院では，在胎33週以下または出生体重1,500g以下は全例，34～35週台かつ1,800g以下は重症化リスクなどを考慮して眼底検査を実施しています．

眼底検査は少なからず侵襲性があり，検査中および検査後に無呼吸発作・消化管蠕動不良などを引き起こすことがあるため，安全に検査を遂行するよう，全身管理することが重要です．これらのリスクを考慮して，在胎27週未満の児は修正29〜30週に達し，生後2〜3週間経過した頃，在胎27週以降の児は生後3週間頃に初回検査を行うのが一般的です．

第13章 極低出生体重児を看護する

9 極（超）低出生体重児にしばしば見られる合併症

　早産児は満期産児とは異なり，子宮外の生活に適応する能力を身に着ける前に出生してしまいます．このため，これまでに説明してきたような種々の問題点が次々と出現してくるのです．しかし，これらの合併症はその出現時期・発症様式に決まったパターンがあるため，それを理解しておけばいちいち児の症状に慌てることなく的確に対処していけます．そのパターンをまとめた図を示します．

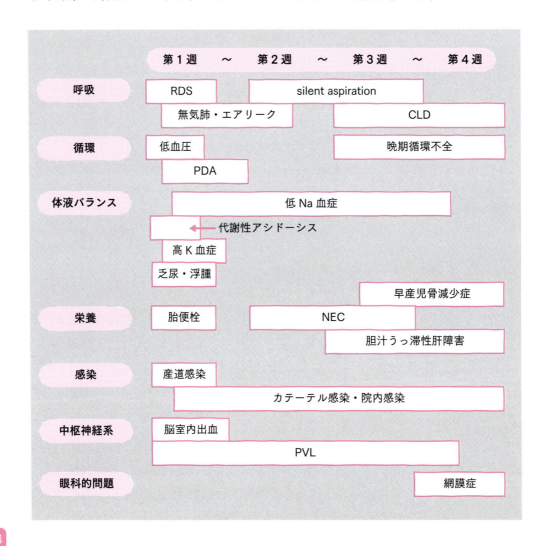

第13章 極低出生体重児を看護する

10 ディベロップメンタル・ケア

　ディベロップメンタル・ケアという考え方は，看護の新しいスタイルとして広まってきています．一方，エビデンスの確立していない事項も多く懐疑的にならざるを得ない面もないわけではありません．しかし，ディベロップメンタル・ケアという概念が「NICUの医療が病気を治すことに力を注ぐあまり，赤ちゃんの心を考えるゆとりがなかったこと」への反省と考えると，我々も見直さなければならない点がたくさんあります．ここでは，その原則について解説します．

①児の発達に適した環境を整えること
- NICUのモニターの同調音を切り，アラームを小さくする．
- 光のレベルを落す．

②児が快適に過ごせる姿勢を可能にすること
- 新生児，とりわけ低出生体重児は一般に筋緊張が低く，自然に放置すると重力の影響を受けるために，胎内姿勢と同じ屈曲姿勢をとることができません．これを可能にするのが，ポジショニングです．これは決して，ポジショニングマットがないとできないものではなく，呼吸管理・輸液管理の際の抑制の際に，不良姿位を取らせない配慮につながるものです．

③児がストレスを感じない，安楽に過ごせる時間を作ってあげる
- 疼痛・苦痛の緩和を図ること．採血はもとより，吸引，聴診，検温など医療従事者が児に触れる多くの処置は「児にとってはストレスなのだ」という認識を持つことが何より重要です．
- タッチケア，カンガルーケア，直母などは，適切に行えば児にとって安楽に過ごせる時間となり，両親に情緒的な安定を与える重要なものとなります．

④親に，児に対する対応の仕方を教え，情緒的な安定を与える
- NICUに入院を要する児の場合，出生後すぐに母児同室となり，生後数日で退院していく児に比べて，母親と児との接触の機会が少なくなるのは致し方ないこ

とです．しかし，入院が長期になるような児，障害を持つ児に対する虐待が一般よりはるかに高い頻度で見られることは，NICUにおける母子分離が影響しているのではないか？という意見は多数あります．そのため，児との接触の機会をなるべく早期から作ること．先ほど記載したタッチケア，カンガルーケアなど，両親と児が一体感を感じることができる状況を作り出してあげることは極めて重要なことと思われます．

- 母親の情緒的な安定を考えるには，なにも流行のタッチケア，カンガルーケアにこだわることはありません．母乳栄養，とりわけ直母を支援することは何事にも変えがたい貴重なものでしょう．

COLUMN 超早産児に対するプレネイタル・ビジット

　近年，新生児医療の進歩に伴って，早産児の生育限界は大きく広がり，在胎22週の生存例も決して稀ではなくなり，24週ともなれば，十分に大きな後遺症のない生存が期待できる時代になりました．

　しかし，一般の人々にとって，我が子を在胎20週台に，あるいは1,500g未満の小さなうちに娩出せざるを得ないということは，大きな不安をもたらすものです．このような「小さな命」を扱う我々は，細心の医療を施し，後遺症のない生存をもたらすべく精力を注ぐことはもちろんですが，ご両親・ご家族の不安をできる限り軽減することも重要です．

　このため，我々は，30週未満での早期娩出を余儀なくされるようなケースに関しては，時間が許す限り，プレネイタル・ビジットを行い，娩出前に，ご両親に対して産科医・看護師同席のもとに，NICU医師からその週数に応じたリスク・出生後に必要となるであろう治療法について説明するようにしています．

　このことは，ご両親の不安を軽減し，治療への理解を深めることに非常に役立っています．おかげで，初めて面会に来られたお母さんが600g余りの我が子の手を握りながら，「先生，おしっこは出ていますか？ 血圧は安定していますか？ 動脈管の具合はどうですか？」など具体的な治療について，1つ1つ質問されることも多くなりました．

　もちろん，すべての治療経過が平坦なわけではありませんが，一喜一憂しながら，1つ1つの治療の意味を理解し，治療に参加されることは，きっと愛着の形成にも役立つものと思っています．

第 14 章

予後不良な重度の形態異常あるいは染色体異常を有する児を看護する

ここがポイント！

　かつて，18トリソミーという診断がついたら，その時点で治療を終了する，という選択を当たり前と考えていた時代がありました．しかし，医療の進歩とともに，18トリソミーといっても長期に渡って生存可能なケースがあることが明らかとなり，障害を有する児に対する認識も時代とともに大きく変化してきました．

　我々のような高度に発達した医療を行い重度の障害を有する児の治療に当たる者は，日々悩みながら治療の意義・妥当性を考えつつ，臨床を行っているわけですが，ここでこれらの問題を少し考えてみましょう．

重篤な疾患を持つ新生児の家族と医療スタッフの話し合いのガイドライン

　2004（平成16）年に埼玉医科大学の田村教授らが中心となって「重症障害新生児医療のガイドライン」が発表され，2012（平成24）年には改訂版が発表されました．本ガイドラインは，新生児医療は病態の多様性に応じて症例ごとに対応すべきもので，画一的な指針を出すと，それがひとり歩きして最も大切なことを見落とすことに繋がる危険性があるとの考えから，この指針は，「重篤な疾患を持つ新生児の家族と医療スタッフの話し合いの原則を示すガイドライン」という形がとられています．

　その解釈には読者の主観が入りますので，詳細はぜひ原著を読まれることをお勧めしますが，私なりの解釈をお示しすると，次のようになるかと思います．

- 我々新生児を治療するものは常に「こどもの最善の利益」を考え，治療に当たる義務がある．
- 重度の障害を有する児に対する治療方針の決定は，医師が単独で決めるものではなく，ご両親の気持ちを尊重しつつ，すべてのスタッフが意見を出し合った後，ご両親とじっくり話し合った上で決定されるべきものである．特に，日々のケアで児に接する機会の最も多いナースの意見は重要である．

最も戒めねばならないのは

- 医療者側の判断で，「こんなに重度の障害を有する児は治療する価値がない」と決め付けてしまう態度
- 「延命させないのは虐待に当たる」と言って，障害を受け入れる気持ちの整理がついていない父母を責めるという態度

でしょう．重度の障害を有する児にとって最もかけがえのないことは，自分を愛してくれる人，抱きしめてくれる人がいる……ということではないでしょうか？　そのためには，父母（家族）に対する「心のケア」「障害を有する児を受け入れるための援助」を抜きにして「子供の最善の利益」はありえないと思います．

　医療は高度化し，重度の障害を持った児が救命され，種々の制約を受けながらも，その生命を育んでゆけるケースが多くなってきました．しかし，未だ父母（家族）に対する援助のシステムが十分整っているとは決して言えません．今後，行政に働

きかけていくことも重要課題ですが，それ以前に我々が日常診療の中でできること
を，もう一度見つめ直す必要があるのではないでしょうか？

参考文献

1) 厚生労働省・成育医療研究委託事業，重症障害新生児医療のガイドライン作成のための基礎的研究，平成16年度研究報告書
2) 日本小児科学会倫理委員会小児終末期医療ガイドラインワーキンググループ，重篤な疾患をもつ子供の医療をめぐる話し合いのガイドライン（2012年4月20日倫理委員会承認版）
3) 新生児医療現場の生命倫理—「話し合いのガイドライン」をめぐって，田村正徳他編，メディカ出版，2005
4) 子守歌をうたいたい，信濃毎日新聞社編，河出書房新社，2000

看取りの看護について

　これは何も大きな形態異常を有するお子さんに限りませんが，現在の医療の力が及ばず，NICU内で亡くなっていくお子さんがあるのも避けることのできない現実です．最期の瞬間にどう対処すべきか？も我々NICUで働く者にとって，最も重要なことがらの1つでしょう．どうするのが最も良いか？という答えはまだ私には見あたりませんが，我々のNICUでも少しずつ従来の壁を取り払い，ご両親ならびにご家族の受容を手助けする道を探っています．

　以前経験した事例ですが，心拍が100を切り血圧も下がってきた時点で，ご両親に加えて祖父母・お母さんの妹さんまでNICUに入室していただき，人工呼吸器をつけた状態で，お母さんにカンガルーケアをしていただきました．我々医療関係者とはカーテン1枚隔てた空間を確保しましたが，悲しみにくれた大きな泣き声とともに「皆で記念撮影しよう！」「なんてかわいいの！」などという声が漏れ聞こえていました．数十分のときをご家族だけで過ごしていただいた後，モニターから心拍の停止を確認し，ご家族の皆さんが見守る前で，死の宣告を行いました．

　これはもちろん，このご家族のキャラクターによるところが大きいのでしょうが，納棺のために赤ちゃんを抱っこされ病院を後にされたときのお母さんの優しい笑顔は，私の心を強く打つものでした．

　最期の瞬間まで，強心剤や胸骨圧迫に明け暮れず，このような別れをしていただいたことは，（少なくともこのケースにおいては）良かったのだろうと感じています．

第15章

NICUにおける感染予防対策

ここがポイント！

　NICUへの入院を要する児の免疫能は弱く，感染を合併することで，状態が急変することは決して稀なことではありません．NICUで働く者は常に感染予防を心がけなければなりません．

手洗い

（1）手指が目に見えて汚れている場合，血液・体液などで汚染されている場合には石鹸と流水で手を洗う．
（2）手指が目に見えて汚れていない場合，速乾性手指消毒薬を用いて手指を消毒するか，または石鹸と流水で手を洗う．

というのが，原則です．

①手を洗う時間

気をつけなければならないことは，手を洗う時間の問題です．手の細菌数の減少は，普通の石鹸と流水で手を洗った場合，15秒の手洗いで菌数は1/4～1/13に減少し，30秒の手洗いで1/60～1/600に減少します．これからわかるように，数秒間の短い手洗いでは効果は極めて乏しいという事実です．

一方，速乾性アルコールで手指を消毒する場合，30秒で菌数は1/3,000，1分で1/10,000～1/30,000まで減少します．ただし，手が有機物などで汚染されている場合その消毒効果は減弱するため，明らかに手が汚れている場合は手洗いと併用することが重要です．

②手荒れの予防

手指の傷は細菌の定着を促すため，手荒れの防止は重要です．このため，なるべく手荒れをきたさない薬剤の選択が重要です．

③手を拭くこと

もう1つ重要なことは，手洗いの後はしっかりと手を拭くことです．これは，濡れた手は極めて細菌を伝播しやすいためです．

（米国CDCによる「医療機関における手指衛生のためのガイドライン」より）

手袋の使用

手指を清潔にすることの基本は，上述の「手洗いあるいは速乾性アルコールの使用」です．しかし忙しい勤務の中で手指を完全に除菌することは難しく，また体液などから医療従事者の身を守る手段としても重要なのが「手袋の使用」です．

1処置1手袋が原則で，1つのケアが終了したら手袋をはずさなければなりません．ただし，手袋の使用は「手洗いあるいは速乾性アルコールの使用」に取って代わるものではなく，**手袋着脱前後での「手洗いあるいは速乾性アルコールの使用」**

は必要です．

　CDCでは「血液その他の感染の可能性のあるもの，粘液，開放創などに触れる場合，すなわち，気管内・口腔内吸引，糞便の処置などの際の手袋の使用」を勧めています．

その他の処置

（1）気管内吸引

　気管内吸引は患者の粘液（感染性体液）に触れる危険性のある行為であるという理由からも手袋の使用が必要です．

　肺炎予防という観点から，CDCの勧告でも，開放式で吸引する場合，吸引カテーテルは1回限りの使用とすることとなっています．カテーテルを1回ごとに交換するならば，閉鎖式の吸引システムが感染予防により有効というエビデンスはなく，その意味からは閉鎖式を推奨する理由はありません．

（2）経皮穿刺による中心静脈ラインの確保

　経皮穿刺による中心静脈ラインの確保時の清潔度に関しては施設によって大きな差があるのが現状ですが，CDCでは，中心静脈ラインの確保にはmaximal precautionを勧めています．すなわち，術者はキャップとマスク，無菌のガウンと手袋，無菌の比較的大きなシートの使用を勧めています．

（3）中心静脈カテーテル穿刺部の管理

① 定期的にカテーテルが挿入されている部位の観察（腫れていないか？　発赤がないか？　疼痛がないか？）を行うことが重要です．この意味からもドレッシングは透明のものを用いることが好ましく，固定の際もできる限り刺入部の観察が行いやすい固定が望まれます．
② CDCでは，一般的には，ガーゼの交換は1回/2日，透明ドレッシングの交換・消毒の頻度は，1回/1週間を推奨していますが，小児患者においてはこれらを行うリスクを考慮して，頻度は変更してよいとしています．

③NICUにおける経皮穿刺による中心静脈カテーテルに関しては，ドレッシングを剥す危険性は極めて大きく，定期的に交換するのが良いとは言い切れないでしょう．一方，CVカテーテルの場合は，原則CDCの勧告通り1回/1週間ドレッシングを交換すべきと考えます．

TORCH症候群

　TORCH症候群は古くから知られていますが，近年，種々の新しい知見が加わり，今なおホットな話題となっています．そこで，TORCH症候群にまつわる話題を集めてみました．

(1) トキソプラズマ (Toxoplasma)

　トキソプラズマは寄生虫（原虫）により起こされる感染症で，ほぼすべての哺乳類・鳥類に感染能を持っています．しかし，健常者が感染しても，通常は顕在化しないか，たとえ症状が出たとしても軽度の急性感染症状を呈するのみで済んでしまうため，あまり話題になることはありません．しかし，免疫不全者には重篤な症状を引き起こすため，十分な注意が必要なのです．

　妊娠中の女性が感染することにより起こる先天性トキソプラズマ症は，死産および自然流産だけではなく児に子宮内発育不全・精神遅滞・視力障害・脳性麻痺など重篤な症状をもたらすことがありますが，これは妊婦・胎児が共に免疫不全状態にあることに由来するのです．

　トキソプラズマのヒトに対する感染は，加熱の不十分な食物（生肉・生野菜など）に含まれる組織シスト，あるいはネコ糞便に含まれるオーシストの経口的な摂取により生じます．また，ガーデニングや砂場など土壌との接触，感染したネコとの接触，井戸水，湧き水などの無処理の生水の摂取は感染の確率を上昇させることも報告されています．このため，妊娠中は生肉・生野菜を食べない！　ガーデニングや砂場遊びなどしてはいけない！ということを広く啓蒙することが重要なのです．

(2) 風疹ウイルス (Rubella)

　2011年アジアにおける風疹の流行が日本に波及し，2012～2013年には日本でも風

疹が大流行しました．その影響で，先天性風疹症候群の罹患児が急増したことは記憶に新しいのではないでしょうか？日本では，1977年から風疹のワクチン接種が行われてきたにもかかわらず，なぜ？との思いを持った方が多いのではないでしょうか．その原因は，日本のワクチン行政の誤りにあるのです．

　1977年から始まった風疹ワクチンの接種は中学女児のみを対象としていました．1995年に幼小児男女に対するワクチン接種へと対象が変更されたのですが，同時にそれまでの集団接種から任意接種へと切り替えられてしまいました．その結果，「30代以上の男性，40代以上の女性は風疹ワクチンを接種していない」「集団接種から任意接種への切り替えの過渡期に小中学生だった世代の接種漏れが少なくなかったため，20代の女性も接種率が十分ではない」という2つの問題が残ってしまったのです．このため，海外から風疹が持ち込まれると，30〜40代以上の成人の間で流行が発生し，それが接種漏れの20代女性（妊婦）に伝染すると，先天性風疹症候群の発症をもたらしてしまうのです．

　現在，妊娠可能年齢の女性の風疹ワクチン接種率を高めるべく，妊娠中に風疹抗体価が低いことが判明した妊婦は出産後ワクチン接種が推奨されています．しかし，30〜40代以上の成人の間での流行を食い止める策はなく，風疹の流行が再度訪れる危険性は消し去れていないのです．

（3）サイトメガロウイルス（CMV）

　CMVも妊娠中の初感染が胎児感染のリスクを高めるウイルスです．かつては，ほとんどの日本人が小児期にCMV感染を受け，CMV抗体価を獲得していたため，妊婦の初感染が問題視されることは少なかったのですが，近年，その抗体保有率が低下してしまいました．母体が妊娠中にCMVに初感染した場合，胎児に約40％の確率でCMVが伝播し，感染児の20％に症候性（症状がある）の先天性CMV感染症が起こると推定されています．先天性CMV感染症の主な症状は，胎児発育不全・小頭症・肝障害・難聴などで，近年，抗ウイルス療法が有効なことも話題を集めています．

　一方，たとえ妊娠中に初感染したとしても，児に症状が出る危険性は10％以下で，妊娠中の初感染≠治療対象だということも重要です．近年，医療機関によっては，母体のサイトメガロウイルス抗体のスクリーニングが実施されていますが，このスクリーニングの本来の目的は，CMV罹患妊婦を見つけることではなく，CMV非感染妊婦を見つけ出し，その妊婦が妊娠中に初感染することを防ぐことにあるのです．

CMVは幼児期に初感染することが多いので，お腹の中の児の兄・姉などから母親が初感染しないよう，気を付けるよう指導することが重要です．具体的には「子どもの食べ残しを食べない……などを指導する」ことが大切なのです．

　以上がこれまでの考え方でしたが，ここ数年CMV母子感染の概念が大きく変わってきました．既感染妊婦の再活性化による母子感染が従来考えられていたより高頻度であり，看過できないと考えられるようになってきています．
　なお，早産児の場合は出生後の感染であっても重症化する危険性があるため注意が必要です．このため輸血を行う場合はCMV陰性血を取り寄せることも重要です．

（4）単純ヘルペスウイルス（Herpes Simplex）

　かつて，母体の性器ヘルペス感染は産道感染の原因になるため，母体が性器ヘルペスに罹患している場合は，帝王切開すべきであり，これによって児への感染は防げるとされていました．すなわち，母体に単純ヘルペスによる性器感染兆候がある場合に限り，帝王切開で娩出すれば，児への感染伝播は防げると考えられていたのですが，それは間違っているという考えが出てきました．
　実際，性器ヘルペスに感染しても約60％の人は症状が出ないので気づかないのですが，このような場合も，ウイルスの排泄を生じていることがあるのです．このため，無症状の母親（＝性器ヘルペス非感染者）と思われていた母体から出生した児に，単純ヘルペス感染が生じる恐れがあるのです．
　また，近年，生後数日で劇症肝炎様に発症する「全身播種型」が少なからず存在することも分かってきました．このため，生後数日に発症し，急速に進行する肝不全・DICといった症状を見た時にも「単純ヘルペス」では？と疑い，ウイルス学的検索を開始するとともに，アシクロビルの投与を併行して行うことが重要なのです．

略語一覧

CAM	chorioamnionitis	絨毛膜羊膜炎
CLD	chronic lung disease	慢性肺疾患
CMV	continuous mandatory ventilation	持続的強制換気
CPAP	continuous positive airway pressure	持続陽圧呼吸
DIC	disseminated intravascular coagulation	播種性血管内凝固
DOA	dopamine	ドパミン
DOB	dobutamine	ドブタミン
DOHaD	developmental origins of health and disease	
ELBW	extremely low birth weight	超低出生体重
GBS	group B streptococcus	B群溶連菌
GE	glycerin enema	グリセリン浣腸
GER	gastroesophageal reflux	胃食道逆流
GI	glucose insulin	グルコース・インスリン
GIR	glucose infusion rate	糖投与速度
HFO	high frequency oscillation	高頻度振動換気
IMV	intermittent mandatory ventilation	間歇的強制換気
IPPV	intermittent positive pressure ventilation	間歇的陽圧換気
IT	inspiratory time	吸気時間
IUFD	intrauterine fetal death	胎内死亡
IUGR	intrauterine growth restriction	子宮内発育遅延
IVH	intraventricular hemorrhage	脳室内出血
MAP	mean airway pressure	平均気道内圧
MAS	meconium aspiration syndrome	胎便吸引症候群
MCT	medium-chain triglyceride	中鎖脂肪酸
MRSA	methicillin resistant staphylococcus aureus	メチシリン耐性黄色ブドウ球菌
NEC	necrotizing enterocolitis	壊死性腸炎
NO	nitric oxide	一酸化窒素
PDA	patent ductus arteriosus	動脈管開存症
PEEP	positive end-expiratory pressure	呼気終末時陽圧
PFO	patent foramen ovale	卵円孔開存症
PIP	peak inspiratory pressure	最大吸気圧
PPHN	persistent pulmonary hypertension of the newborn	新生児遷延性肺高血圧症
PROM	premature rupture of membrane	前期破水
PVL	periventricular leukomalacia	脳室周囲白質軟化症
RDS	respiratory distress syndrome	呼吸窮迫症候群
SFD	small for dates	不当軽量
SI	sustained inflation	
SIMV	synchronised intermittent mandatory ventilation	同期式間歇的強制換気
TPN	total parenteral nutrition	完全静脈栄養
TTN	transient tachypnea of the newborn	新生児一過性多呼吸
VI	ventilatory index	
VLBW	very low birth weight	極低出生体重

索引

欧文

Adiposity rebound	191
aEEG	163
BUN	57
CLD	198
COHb	171
DOHaD	189
Edi	102
EDチューブ	200
HFO	100
IMV	99
INSURE	97
MCTオイル	204
nasal CPAP	96
NAVA	102
NCPR	18
NIV-NAVA	98
NO	133
NRFS	4
%TRP	59
PNAC	59
RDS	196
Refeeding syndrome	60
SGA性低身長症	187
silent aspiration	199
SIMV	100
SiPAP	97
TORCH症候群	224

和文

あ

アシドーシス	120
アプガー・スコア	11
アルカローシス	121
アンビュー・バッグ	14
胃残	47
胃チューブ	32, 46
一酸化ヘモグロビン	171
イブリーフ®	129
横隔膜活動電位	102
黄疸	166
嘔吐	150, 155

か

仮死	160
ガストログラフィン	205
カルシウム	59
間歇的強制換気	99
気管挿管	95
気管内吸引	103
胸骨圧迫	16
グリセリン浣腸	205
グルココルチコイド	137
経静脈栄養	55
経鼻的持続陽圧呼吸	96
血液ガス分析	120

高K血症	74, 208	低体温療法	162
高Na血症	66, 208	ディベロップメンタル・ケア	215
高インスリン血症	177	手袋	222
交換輸血	167	点滴	30, 87
光線療法	167	同期式間歇的強制換気	100
高頻度振動換気	100	糖尿病母体児	182
誤嚥	21	動脈管開存症	126
		トキソプラズマ	224

さ

サイトメガロウイルス	225		
搾母乳	50	内服薬	88
産科医療補償制度	12	尿細管リン再吸収率	59
酸素	94	妊娠糖尿病	183
ジアゾキシド	179	脳室周囲白質軟化症	194, 210
ジャクソンリース・バッグ	15	脳室内出血	194, 210
循環不全	135		
神経調節補助換気	102		

な（上段）／は

新生児仮死	10	肺高血圧症	131
新生児死亡	2	ハイフローネーザルカニューラ	98
心不全	73	抜管	112
先天性心疾患	138	バッグマスク	14, 94
挿管チューブ	103	晩期循環不全症	143
早期授乳	207	風疹ウイルス	224
蘇生	13	副腎皮質ホルモン	137

た

		浮腫	80
		フリーエア	45
胎便排出遅延	152	プレネイタル・ビジット	216
単純ヘルペスウイルス	226	プロバイオティクス	204
注腸造影	205	便秘	152
手洗い	222	保育器	24
低K血症	78	哺乳	41
低Na血症	69, 209	母乳強化剤	203
低血糖症	175	哺乳不良	155
低出生体重児	203		

ま

慢性肺疾患	198
未熟児網膜症	212
無呼吸発作	114
メタボリックシンドローム	61, 189
輸液量	64
ヨウ素過剰	157

ら

リン	59
レスピア®	118

NICU ナースのための必修知識　第5版

2005年12月1日	第1版第1刷
2007年12月1日	第2版第1刷
2009年1月15日	第2版第2刷
2011年1月10日	第3版第1刷
2014年5月15日	第3版第3刷
2016年12月1日	第4版第1刷
2019年5月1日	第4版第2刷
2024年4月1日	第5版第1刷 ©

著者 ……………… 河井昌彦　KAWAI, Masahiko
発行者 ……………… 宇山閑文
発行所 ……………… 株式会社金芳堂
　　　　　　　　　〒606-8425 京都市左京区鹿ケ谷西寺ノ前町34番地
　　　　　　　　　振替　01030-1-15605
　　　　　　　　　電話　075-751-1111（代）
　　　　　　　　　https://www.kinpodo-pub.co.jp/
デザイン …………… naji design
印刷・製本 ………… モリモト印刷株式会社

落丁・乱丁本は直接小社へお送りください．お取替え致します．

Printed in Japan
ISBN978-4-7653-1993-5

JCOPY ＜(社)出版者著作権管理機構　委託出版物＞
本書の無断複写は著作権法上での例外を除き禁じられています．複写される場合は，そのつど事前に，(社)出版者著作権管理機構（電話 03-5244-5088, FAX 03-5244-5089, e-mail：info@jcopy.or.jp）の許諾を得てください．

●本書のコピー，スキャン，デジタル化等の無断複製は著作権法上での例外を除き禁じられています．本書を代行業者等の第三者に依頼してスキャンやデジタル化することは，たとえ個人や家庭内の利用でも著作権法違反です．